Éditions Druide
1435, rue Saint-Alexandre, bureau 1040
Montréal (Québec) H3A 2G4

www.editionsdruide.com

RELIEFS

Collection dirigée par
Anne-Marie Villeneuve

DE LA MÊME AUTEURE

Romans

Ce ne sera pas si simple, Druide, 2013.

Toujours orgueilleuse, mais (à peine) plus repentante, Québec Amérique, 2009.

Petit guide pour orgueilleuse (légèrement) repentante, Québec Amérique, 2008.

Nouvelle

Le match, dans *Cherchez la femme*, Québec Amérique, 2011.

TOUT SIMPLEMENT COMPLIQUÉ

Catalogage avant publication de Bibliothèque et Archives nationales du Québec et Bibliothèque et Archives Canada

L'Italien, Annie
Tout simplement compliqué : roman
(Reliefs)

ISBN 978-2-89711-135-9
I. Titre. II. Collection : Reliefs.

PS8623.I89T682 2014   C843'.6   C2014-941601-6
PS9623.I89T682 2014

Direction littéraire : Anne-Marie Villeneuve
Édition : Luc Roberge et Anne-Marie Villeneuve
Révision linguistique : Annie Pronovost et Marie-Ève Laroche
Assistance à la révision linguistique : Antidote 8
Maquette intérieure : Anne Tremblay
Mise en pages et versions numériques : Studio C1C4
Illustration de la couverture : Jacques Laplante
Conception graphique de la couverture : Gianni Caccia
Photos de l'auteure : Maxyme G. Delisle
Diffusion : Druide informatique
Relations de presse : Caroline St-Louis

Les Éditions Druide remercient le Conseil des arts du Canada et la SODEC de leur soutien.

Gouvernement du Québec — Programme de crédit d'impôt pour l'édition de livres — Gestion SODEC.

ISBN papier : 978-2-89711-135-9
ISBN EPUB : 978-2-89711-136-6
ISBN PDF : 978-2-89711-137-3

Éditions Druide inc.
1435, rue Saint-Alexandre, bureau 1040
Montréal (Québec) H3A 2G4
Téléphone : 514-484-4998

Dépôt légal : 2ᵉ trimestre 2014
Bibliothèque nationale du Québec
Bibliothèque nationale du Canada

Imprimé au Canada

Annie L'Italien

TOUT SIMPLEMENT COMPLIQUÉ

Roman

Druide

Bien que le récit que vous vous apprêtez à lire ne soit pas à proprement dit une suite de mes romans précédents, il existe certains liens qu'il pourrait être utile de connaître. Voici le minimum que vous devez savoir :

¬ Les deux narrateurs, Emma et Jean-Simon, respectivement médium et détective privé, se sont rencontrés lors d'une chasse à l'héritage concoctée par le riche Louis-Joseph Denoncourt. Emma travaillait pour l'épouse de Louis-Joseph, et Jean-Simon pour sa maîtresse. Ils sont devenus amis et collaborateurs occasionnels, pour le meilleur et pour le pire.

¬ Emma entretient une charmante relation amoureuse avec Charles, fils des Denoncourt, alors que Jean-Simon collectionne les liaisons éphémères avec des femmes dont, la plupart du temps, on ignore le nom.

¬ Deux des personnages secondaires, Anne et Jean-Philippe, proviennent de mes premiers romans.

Voilà, pas plus compliqué que ça. Ou si peu. On y va ?

Ce qui complique tout, c'est que ce qui n'existe pas
s'acharne à faire croire le contraire.

Michel Tournier

JEAN-SIMON

SAMEDI 20 AVRIL
Le détective n'a rien détecté

La voix synthétique me semble presque moqueuse. «Vous avez VINGT-HUIT nouveaux messages».

C'est ce qui arrive lorsqu'on part pour une semaine dans le Sud sans tenir compte du fait qu'on vient de passer une publicité dans le journal : *Détective privé, filatures en tout genre, travail garanti ou argent remis. Sourires et gentillesse non inclus.* Il faut croire qu'elle était efficace.

J'écoute les VINGT-HUIT nouveaux messages, crayon et papier en main. Je les trie tout de suite en trois colonnes : les «oui», les «non», et les «si j'ai le temps».

Le dernier est de Flore, ma blonde des trois derniers mois. Ah, non, mon ex-blonde on dirait. On était ensemble cette semaine. Elle n'aurait pas pu le dire avant? Dans l'avion? À l'aéroport? Dans l'auto? Quand je l'ai déposée chez elle? Non, l'espèce de pissou, elle a attendu que j'aie tourné le coin pour me laisser un message de rupture. «C'est pas toi, c'est moi». Mets-en que c'est toi.

J'appelle Emma, elle répond immédiatement.

— Le détecteux! Tu as fait un beau voyage?

— Ton amie Flore est une conne de première. Ne me présente plus jamais personne, c'est clair?

Je raccroche. Voilà, ça m'a fait du bien.

EMMA

Ce n'est que partie remise

Ha! J'adore. Pas le fait que Jean-Simon traite ma copine de conne (ça, c'est interdit), mais plutôt qu'il soit assez à l'aise pour me raccrocher la ligne au nez. Ça m'indique que nous sommes bien installés dans notre amitié, et ça me donne le droit de le rappeler pour l'envoyer promener.

Alors qu'à notre première rencontre — provoquée par la chasse à l'héritage de Louis-Joseph Denoncourt — nous avions été pris d'une antipathie mutuelle spontanée, les semaines de collaboration qui ont suivi nous ont permis de mettre de côté nos préjugés respectifs, et de finalement découvrir qu'on était tous les deux plutôt formidables.

Je réserve le petit plaisir de le couvrir d'insultes pour une autre fois, j'allais ranger mon appartement avant de me mettre au lit. Je ne suis pas malpropre, je fais un élégant ménage chaque semaine dans mon trop grand et vieillot six et demi pointesaintcharlien. C'est juste que je suis trop paresseuse pour tout caser à sa place au fur et à mesure, ce qui fait officiellement de moi une traîneuse. Je préfère tout de même que mon chez-moi soit relativement présentable, des clients lève-tôt ont pris rendez-vous à 8 h demain matin pour parler aux esprits.

JEAN-SIMON

Retour à la réalité

Je souris malgré moi. Emma devrait appeler d'une minute à l'autre pour me crier des bêtises. Comme d'habitude, notre conversation tournera rapidement à la rigolade. Je ne le lui avouerais pas, mais nos petits échanges me font du bien. Les amitiés féminines n'ont jamais été mon fort ; Emma est la surprenante exception, puisque :

1. Elle est plutôt mignonne ;
2. On a déjà couché ensemble une fois ;
3. Elle parle aux morts.

Normalement, ces trois éléments rendraient toute amitié impossible, mais non. Je pense que c'est en grande partie attribuable à sa personnalité. Pas de niaisage, pas de chichis. Juste quelqu'un qui est là pour moi, avec qui je peux parler de n'importe quoi. Et j'arrive assez bien à faire abstraction du fait qu'elle est visuellement intéressante.

Vidage de valise, lessive, enlevage de poussière accumulée dans la dernière semaine. J'en profite aussi pour réfléchir aux enquêtes potentielles qui m'attendent. Trois d'entre elles me semblent prometteuses.

Devrais-je prendre quelques minutes pour examiner ce qui s'est passé avec Flore ?

Non.

EMMA

Je ne joue pas aux charades, je suis médium

C'est la première fois qu'on me la fait, celle-là : la madame qui est morte s'impatiente drôlement. Elle essaie tant bien que mal de me faire comprendre quelque chose, mais quoi ?

Se sauver ? Courir ? S'essouffler ?

On dirait que non…

Escalader ? Grimper ? Danser très très mal ?

Non plus.

Elle voit bien, la visiteuse, que son message n'est pas clair, pourquoi refaire les mêmes gestes, de la même façon, avec la même intensité ? La seule chose qui se modifie peu à peu c'est son visage, déjà pas très beau, où se lit une exaspération de plus en plus évidente. Pourtant, il n'est habituellement pas nécessaire que j'explique aux morts comment ça fonctionne : ils me montrent silencieusement des objets ou des symboles, je transmets le tout à leurs proches et les aide à l'interpréter. Je ne joue pas aux charades, je suis médium. C'est simple, non ?

OK, elle m'énerve, et j'ai besoin d'air. L'avantage, lorsqu'on est médium, c'est que les gens s'attendent à une certaine excentricité, donc personne ne dit quoi que ce soit quand je décide d'aller voir ailleurs si j'y suis.

Tiens donc, je n'y suis pas.

Je ne me reconnais plus ; la tête dans la ouate, le cerveau en bouillie, j'ai toutes les misères du monde à suivre une conversation normale, alors imaginez quand je dois dialoguer avec les morts et décrypter leurs foutus messages codés. Capacité de concentration d'une crevette. Je dois me rendre à l'évidence, être amoureuse interfère solidement avec mon don de voyance.

Assise sur le court escalier qui sépare ma porte du trottoir, je continue à ruminer, mais un sourire nono se dessine doucement sur mes lèvres. Charles.

JEAN-SIMON

DIMANCHE 21 AVRIL
Besoin d'action

Le dimanche est habituellement pour moi une journée de congé sacrée. Pas de douche, pas de brossage de dents, je m'insère avec bonheur dans un t-shirt troué et de vieux pantalons de coton ouaté détestés avec véhémence par toutes mes blondes. Écrasé sur le divan, je pitonne allègrement entre deux siestes réparatrices. Aucune culpabilité.

Aujourd'hui, c'est différent. Je reviens d'une semaine à ne rien foutre sur une plage, et l'inactivité est la dernière chose dont j'ai envie. Mon cerveau réclame stimulation. Le problème, c'est que mes clients n'aiment généralement pas que je communique avec eux le weekend ; s'il s'agit d'une investigation liée à leur vie professionnelle, ils préfèrent que je m'en tienne aux heures de bureau, et si l'enquête est de nature personnelle, il y a moins de chance qu'ils soient en compagnie de l'être cher (et suspect) les jours de semaine.

Je relis les notes prises hier : un époux soupçonne sa douce moitié d'infidélité, un chef d'entreprise doute de l'honnêteté d'un de ses employés et une femme trouve son mari drôlement nerveux. Normalement, je n'aurais eu qu'un intérêt mitigé pour ce dernier cas, car être nerveux ne constitue pas une preuve de quoi que ce soit. Cependant, le message de la dame était le plus détaillé du lot, et je peux comprendre son désarroi. Quand un mari disparaît à des heures étranges, jette continuellement des regards anxieux derrière lui et sursaute au moindre bruit, il y a probablement lieu de s'inquiéter.

EMMA

J'aime mes voisins, et mes voisins s'aiment

— Salut, la merveilleuse!

Elle, c'est Anne, ma charmante voisine, qui interrompt le cours de mon imagination galopante teintée de rose.

— Merveilleuse toi-même! Ça va? Tiens, tire-toi une marche qu'on jase un peu et qu'on profite des rayons de soleil printanier.

— Je n'ai pas vu des clients entrer chez toi, il n'y a pas si longtemps?

— Ouais.

— Tu les ignores?

— Ouais.

— Vilaine médium.

— T'as raison, ce n'est pas très gentil. Viens, je me débarrasse d'eux et on se fait un délicieux thé réconfortant.

C'est une bonne chose que je médiumise bénévolement, ça me permet d'écourter certaines séances sans devoir donner trop d'explications. «Désolée, chers clients, nous éprouvons présentement des difficultés techniques, les lignes avec l'au-delà sont brouillées aujourd'hui. Une autre fois, peut-être, la porte est par ici, tirez fort, elle est parfois difficile à fermer. Merci, au revoir.»

Thé bio à saveur de crème caramel de chez mon ami David, délicieux biscuits sablés placés symétriquement dans une jolie assiette par Anne, nous sommes prêtes pour du mémérage. Je remercie ma sauveuse.

— Décidément, je filais plus pour ça que pour une séance qui me pompait tout mon jus.

— C'est dans des moments comme celui-ci que je réalise à quel point tu me manquais, Emma chérie.

— Cette idée de s'exiler à Istanbul pour les beaux yeux verts de ton Jean-Philippe, aussi! «Drelin! Allô, voisine? Garde mon chat, je ne reviens pas. Clic.» Tu parles d'une façon de dire adieu.

Je la taquine chaque fois qu'on se voit, et je risque de le faire encore longtemps (j'aime ça, moi, les blagues répétitives), mais je ne lui en veux pas le moins du monde. Les gens qui suivent leur cœur ont rarement tort à mes yeux. En plus, qu'elle prenne régulièrement des nouvelles de son chat pendant son absence nous a rapprochées (ça, et notre amour des mots inventés), et nous sommes maintenant des plus-que-voisines, particulièrement depuis son retour il y a quelques mois. Son histoire avec Jean-Philippe (que j'appelle Phil parce qu'il déteste ça) est magnifique: deux âmes sœurs qui ont eu la chance de se trouver et qui vieilliront ensemble. Je me sens privilégiée d'en être témoin.

— Je pense que nous sommes au bord du divorce, me contredit Anne.

— Meuh non, tu dis ça au moins une fois par semaine.

— Cette fois, c'est du sérieux!

— OK, quoi? Il n'a pas acheté la bonne marque de dentifrice? Ses bas ne *matchent* pas toujours avec ses pantalons? Il a mal accordé un verbe? Quoi?!

— On a enfin commencé à se chercher une maison, et on n'a pas du tout les mêmes goûts.

— C'est-à-dire?

— Je préfère vieux et petit, il préfère moderne et grand. Je veux la ville, il veut la banlieue.

— Je ne l'imagine tellement pas comme un gars de banlieue!

— Ben, ville-adjacent, alors. Genre LaSalle ou Lachine. On a dû voir pas moins d'une vingtaine de propriétés, et aucune ne nous semble un compromis acceptable.

— Et il est où, en ce moment, l'apprenti-semi-banlieusard?

— Parti en visiter une, tout seul, à LaSalle. Je n'ai même pas voulu lire la description. Je boude, bon.

Coups de sonnette frénétiques, Jean-Philippe entre en trombe dans mon appartement.

— Anne! T'es là?

— Dans la cuisine!

— Allô, Emma, désolé de vous interrompre, mais j'ai une excellente nouvelle. Chérie, j'ai trouvé notre maison.

— La tienne ou la mienne? réplique Anne, méfiante.

— La nôtre, à ton goût. C'est vieux, ce n'est pas super grand, et c'est charmant.

— À LaSalle? Loin loin de tout?

— Pas si loin loin que ça. Attends de la voir, tu vas tout comprendre. En plus, le potentiel déco est énorme.

Au mot « déco », Anne devient subitement plus ouverte, mais se force tout de même à garder les sourcils froncés. L'agent d'immeuble est prêt à leur faire visiter les lieux tout de suite, il faut se dépêcher, c'est une succession et les héritiers de la propriétaire espèrent vendre rapidement.

— J'accepte d'aller la voir, si Emma nous accompagne. Tu veux bien, Emma? Tu pourras jaser avec la défunte propriétaire pour essayer de découvrir s'il y a des vices cachés.

— Très drôle. OK, je viens avec vous.

JEAN-SIMON

DIMANCHE 21 AVRIL
C'est reparti

Devrais-je m'inquiéter? Emma aurait déjà dû me téléphoner depuis longtemps pour un match verbal en règle. Ah, parlant de la louve! Reconnaissant le numéro de son cellulaire sur mon afficheur, j'attaque le premier:

— Si t'appelles pour me donner de la m…

— Jean-Simon, j'ai besoin de ton aide.

— Oh, c'est du sérieux, qu'est-ce qui se passe?

— Tu peux venir me rejoindre? J'ai peut-être un cas intéressant pour le détective en toi. Pas tout à fait une chasse à l'héritage, mais presque.

— L'adresse?

EMMA

Seul indice, des bébés

La maison est effectivement très mignonne. Située dans la partie la plus ancienne de LaSalle, à proximité de l'eau et entourée d'arbres matures, elle a tout pour plaire. Bien qu'Anne déploie des efforts considérables pour rester de marbre, elle va craquer avant la fin de la visite, c'est certain. Phil pense la même chose que moi et me chuchote :

— Dix dollars qu'elle flanche en moins de trente minutes.

— Moins de quinze.

— D'accord. Entre zéro et quinze tu gagnes, entre quinze et trente, c'est moi.

Nous nous tapons discrètement la main pour officialiser le pari. Je regarde ma montre pour commencer le décompte.

Alors que j'étais venue en touriste, ça n'aura pris que quelques secondes sur les lieux pour que je sois assaillie par un esprit déterminé. J'ai beau commencer à avoir l'habitude, ça me surprend toujours un peu lorsqu'un esprit frappe à la porte de mon cerveau (on dirait une charmante métaphore, mais ce n'en est pas une) dans un contexte autre qu'une séance prévue à l'horaire. Aujourd'hui, il s'agit d'une dame d'un certain âge, vêtue d'une robe de chambre et de pantoufles en Phentex. J'en conclus que j'ai affaire à la propriétaire de la maison. Ciel que je suis douée pour les déductions.

Je fais face à un problème à multiples niveaux :

1. Il n'y a aucun membre de la famille présent, donc personne à qui transmettre son message;
2. Lorsque j'ai demandé à l'agent d'immeuble s'il pouvait entrer en contact avec les exécuteurs testamentaires, la propriétaire m'a fait comprendre qu'elle ne voulait pas leur parler;
3. Elle s'entête à me montrer des photos de bébés, dix en tout.

L'agent, Mario de son prénom, est plus décoratif qu'utile, et semble en état de pose perpétuel, le même sourire plaqué sur son visage en toutes circonstances. J'ai beau lui poser des questions sur la famille, il ne m'offre aucune piste de réponse. Il se contente de me répéter qu'il peut communiquer avec les exécuteurs testamentaires de Margaret (ah, tiens, c'est comme ça qu'elle s'appelle), William et Marie Ladouceur, ce qui provoque des signes de dénégation véhéments dans l'au-delà. J'essaie gentiment de faire comprendre à la morte qu'elle peut avoir confiance en moi, mais je me bute à un visage obstinément fermé.

D'où l'appel à l'aide au détecteux.

Je m'efforce d'ignorer les interventions impatientes de Margaret et poursuis l'exploration des lieux avec Jean-Philippe et Anne, qui n'arrive même plus à prétendre que la maison lui déplaît. Les derniers soubresauts de résistance disparaissent immédiatement lorsqu'elle entre dans la cuisine: mur de pierres, vieilles armoires hautes, charme à revendre. Je vois pratiquement les plans de rénovation se former dans son cerveau à travers ses yeux émerveillés. Coup de grâce: une grande fenêtre panoramique offre le potentiel d'un joli banc tout plein de jolis coussins agencés à la jolie nappe qui recouvrira la jolie table antique. Anne se retient de montrer son bonheur hystérique devant Mario, pour ne pas tuer tout pouvoir de négociation. Mais si je me fie au regard complice que me lance Phil, nous savons tous les deux que c'est dans la poche. Et c'est lui qui remporte le pari: elle aura mis seize minutes à craquer.

Nous avons le temps de visiter le deuxième étage, d'imaginer tout plein d'adorables vocations potentielles pour le grenier et de redescendre au salon avant que Jean-Simon ne sonne enfin à la porte.

Je lui explique rapidement la situation pendant que les trois autres se dirigent vers le jardin. Sa réaction ne se fait pas attendre.

— C'est super, tout ça, mais tu veux que je fasse quoi, au juste ?

— Ben c'est évident, non ? Il faut que tu trouves quelqu'un à qui la propriétaire acceptera de parler.

— Et ton seul indice, c'est des bébés.

— C'est ça, oui.

— Tu me niaises ?

— Je sais, je sais, ce n'est pas suffisant. On peut quand même commencer par retrouver des membres de sa famille, non ? Si Margaret me montre des bébés, c'est sans doute parce qu'elle veut que je communique avec ses petits-enfants.

La madame applaudit dans ma tête.

— Et t'avais besoin que je vienne jusqu'ici parce que… ?

— Parce que tu trouveras peut-être des indices dans la maison, il y a plein de photos partout.

— Tu penses que ça va plaire à l'agent d'immeuble qu'un inconnu passe des heures à scruter les souvenirs de famille de ses clients ? Je ne suis là que depuis trente secondes et il nous lance déjà des regards inquiets à travers la porte-patio.

— T'as un téléphone intelligent, non ? Prends des photos des photos, tu les examineras plus tard ! Dépêche-toi, je vais aller me planter devant la porte pour obstruer le champ de vision de Mario.

JEAN-SIMON

LUNDI 22 AVRIL
Ini, mini, mani, mo

Margaret Kilbourne vit le jour le 5 janvier 1932 à Saint-Jean de Terre-Neuve. Aventurière dans l'âme, à l'âge de vingt-deux ans elle quitta la ferme familiale sous une impulsion pour se rendre à Québec. La première personne qu'elle aperçut en descendant du bateau allait devenir son époux. Alfred Ladouceur ne parlait pas anglais, Margaret ne parlait pas français. On dit que le coup de foudre amoureux anesthésie le bon sens ; il n'est donc pas surprenant que la barrière de la langue leur ait paru plus stimulante que décourageante. Ce qui s'avéra une excellente chose : ils se marièrent, eurent de nombreux enfants (huit, pour être précis) et vécurent heureux (et bilingues) jusqu'à la mort d'Alfred, il y a deux ans. Ils menèrent une vie bien remplie, partageant leur temps entre Québec, Montréal et Terre-Neuve — où Alfred avait ouvert une filiale de *Bateaux Ladouceur Boats*, sa prospère entreprise de réparation de bateaux — pour permettre à Margaret de voir sa famille régulièrement.

Vive Internet. Vive Google. Vive les sites de généalogie. Vive les mormons qui répertorient tout. Ou presque.

Des huit enfants de Margaret et Alfred, deux sont décédés en bas âge. Il en reste donc six, dont cinq sont mentionnés sur le site de généalogie. Ils ont eu à leur tour des descendants, dix au total. Ah ben tiens donc ! Dix bébés.

Margaret et Alfred

WILLIAM	MARIE	GEORGES	LINETTE	?	ISABELLA
DANIEL	MAGGIE	CASSANDRA	JANE		DAVID
LOUIS	AL		SARA		
COLIN	FRED				

Les photos des photos ne me sont pas d'un grand secours pour l'instant, la plupart étant de traditionnels clichés de membres de la famille posant inconfortablement devant l'appareil. Je m'amuse tout de même à tenter de deviner qui est qui, et à observer le vieillissement des enfants de Margaret. Le temps n'est pas gentil avec tout le monde.

Il me faut dénicher au moins un petit-enfant, en espérant que Margaret n'ait pas d'attentes précises quant au premier à retrouver. *Ini, mini, mani, mo*, je décide de concentrer mes recherches sur Cassandra Ladouceur, un nom plus rare que Daniel, William ou Jane, et donc plus facile à trouver. En théorie, du moins.

EMMA

Ça se complique, sur tous les plans

— T'en es où, le détecteux ?

— Je me découvre une passion pour la généalogie, assez pour négliger mes vrais clients. Sais-tu qu'une des filles de Margaret et Alfred a appelé ses jumeaux Al et Fred ? Bravo pour l'originalité.

— Pouaaah ! Je les ai vus sur les photos, toujours habillés de la même façon malgré le fait qu'ils ne se ressemblent pas du tout.

— Emma, on ne peut pas se parler trop longtemps, j'attends des nouvelles de Cassandra. Elle était la seule Ladouceur avec ce prénom dans Canada411, j'espère juste que c'est la bonne. Je lui ai laissé trois messages depuis hier, je ne veux pas manquer son coup de fil pendant qu'on discute.

— Une deuxième ligne, ça te tenterait pas ?

— Non. Je déteste que quelqu'un me fasse patienter pour répondre à un deuxième appel, je ne vais pas imposer ça aux autres.

— Depuis quand tu te préoccupes des autres ?

— Bye.

Margaret n'est plus revenue à la charge depuis que je suis sortie de sa maison, qui est en bonne voie de devenir la maison de mes amis. J'espère pour eux que ça va fonctionner ; Anne a déjà tout décoré dans sa tête, même une future chambre de bébé.

Oui, ils en sont là.

C'est la suite logique, non ? Phil et Anne vivent le grand amour depuis quelques années maintenant, ils habitent ensemble, profitent d'une relative stabilité financière et magasinent des résidences. Ding dong, le temps de la reproduction a sonné.

Il n'est pas donné à tout le monde d'entendre la sonnette en question. Charles, mon amoureux, a commencé à la percevoir. Moi, pas du tout. Et pour être honnête, j'aurais préféré qu'il garde cette information pour lui. Oh, bien sûr, il m'en a glissé un mot très subtilement, insérant la nouvelle entre deux anecdotes comiques et sans importance pour en diluer l'effet, néanmoins, ses mots exacts ont été : « le jour où je serai père, j'ai bien l'intention de... ». Le problème n'est pas tant ce qu'il a dit, mais bien la façon dont il l'a dit, avec un discret point d'interrogation dans les yeux.

Je n'ai rien répliqué. Comme j'ai toujours refusé de répondre à la question directe « Veux-tu des enfants ? » qu'on me pose depuis que j'ai environ vingt-deux ans. J'ai le droit de ne pas le savoir, non ? Tout d'un coup que je suis une mutante, avec mon don bizarre de parler aux esprits, et que je transmets mon mutantisme à mes enfants ? Quelle espèce de famille formerons-nous ? Mes descendants pourraient être doués pour la télépathie, la télékinésie ou la lévitation, qui sait ! Ou encore, puisqu'ils détiendraient également les gènes d'un père « normal », peut-être n'auraient-ils qu'un demi-don de voyance ? Genre qu'ils ne verraient que la moitié des symboles qu'utilisent les morts pour communiquer avec nous ? Comment pourraient-ils aider leur prochain si les messages de l'au-delà ne leur sont qu'à moitié compréhensibles ?

Mes réflexions excessives et ridicules sont interrompues par la sonnerie du téléphone. Comme d'habitude lorsque j'aperçois le numéro de Jean-Simon sur l'afficheur, je ne perds pas de temps avec les politesses d'usage.

— Cassandra t'a appelé ?

— Non. J'ai comme un mauvais *feeling*.

— Toi ? Un *feeling* ?

— J'ai l'impression que quelque chose ne tourne pas rond. Selon mes recherches, Cassandra est consultante en ingénierie et elle a son bureau à la maison. Sur sa boîte vocale, on pouvait entendre « Aujourd'hui, je serai au bureau toute la journée », et non pas « Je suis en vacances ». Donc, il n'y a pas de raison pour elle de ne pas vérifier ses messages.

— Tu disais quoi, sur le tien ? Parce que si tu as affirmé que Margaret voulait communiquer avec elle…

— Es-tu folle ? Jamais de la vie ! J'ai simplement mentionné que j'avais besoin de lui parler du décès de sa grand-mère, et que c'était urgent. Je sais que tu vas trouver que c'est tiré par les cheveux, mon affaire, mais le ton de sa voix sur son répondeur me laisse croire que Cassandra est quelqu'un d'efficace et organisé, qui rappelle systématiquement et rapidement. Ça ne colle pas.

— T'as son adresse ?

— Oui.

— Passe me prendre, je t'accompagne.

JEAN-SIMON

MARDI 23 AVRIL

J'avais raison

Cassandra Ladouceur habite dans le quartier Notre-Dame-De-Grâce, au second étage d'un vieil immeuble à logements convertis en condos. Un voisin imprudent nous laisse entrer dans l'édifice. Il aurait au moins pu nous demander qui nous étions. Dès que l'ascenseur s'ouvre sur le couloir du deuxième, une odeur de charogne nous assaille. La main couvrant sa bouche et son nez, Emma me chuchote :

— C'est peut-être chic de l'extérieur, mais on dirait qu'ils ont des problèmes d'ordures !

— Ça ne sent pas les ordures, ma belle, je crois plutôt que ça sent la mort.

L'odeur s'intensifie à l'approche de la porte de Cassandra. Je cogne par principe, bien que je me doute déjà de ce qui se trouve derrière. N'obtenant évidemment pas de réponse, je me tourne vers madame la médium.

— Est-ce que quelqu'un n'essaierait pas de te parler, par hasard ?

— Non, personne. C'est normal, ça prend un certain temps à l'âme pour quitter le corps, se rendre dans l'au-delà, repérer le bureau d'accueil, remplir les formulaires de changement d'adresse…

Je pouffe de rire malgré moi. Et je sais bien que le commentaire léger d'Emma n'est pas représentatif du trouble qu'elle ressent.

Nous sortons de l'immeuble pour téléphoner à la police.

EMMA

Sergent, agent, Valium

Les policiers arrivent quelques minutes plus tard, un jeune athlé-tique antipathique et un vieux bedonnant moustachu, comme dans les films. Jean-Simon s'approche pour leur expliquer la situation. Le plus âgé prend la parole.

— Je suis le sergent Bouffard, voici mon collègue l'agent Gladstone. Vous êtes qui, vous ?

— Jean-Simon Pellerin, détective privé.

— Pellerin ? Détective privé ? T'aurais pas de la famille dans la police, toi ?

— Oui.

— J'ai bien connu ton père.

— Ah.

— Tu lui ressembles. Mêmes cheveux pâles, même grandeur, même barbe de trois jours.

— Oui.

— Une couple de tes frères sont dans les forces, non ?

— Oui.

— T'es pas trop bavard, le grand !

— C'est juste que j'aimerais mieux parler de la raison de mon appel. Est-ce qu'on peut monter voir l'appartement ?

— Eh wooh, le privé, intervient le jeune policier. Laisse-nous faire notre job, tu n'as pas d'affaire là.

— Relaxe, Gladstone, son père était de notre bord, on peut bien faire une exception. Pis la p'tite demoiselle, c'est qui ?

— C'est mon associée, Emma DeAngelis.

— Gladstone, va chercher le concierge, qu'il nous ouvre la porte.

Le concierge est l'homme le plus stoïque qu'il m'a été donné de rencontrer. Je le baptise mentalement monsieur Valium. On vient de lui apprendre qu'il y a sans doute un cadavre dans son immeuble, et il n'a aucune réaction. Tellement que le sergent Bouffard se sent obligé de répéter la raison de notre visite, pensant qu'il n'avait pas compris. L'homme se contente d'attraper son trousseau de clés et de nous faire signe de le suivre.

Je ne peux pas dire que la perspective de trouver une dépouille dans l'appartement me plaise outre mesure. En fait, je suis plutôt terrifiée. Je n'ai jamais vu de « récemment décédé » de près ; les relations que j'entretiens avec les morts se déroulent une fois qu'ils ont pris leur aspect d'esprit/d'ange/d'appelez-ça-comme-vous-voulez. Pas de sang, pas de rigidité cadavérique, pas de gonflement, pas de teint gris, pas d'yeux fixant obstinément le vide. Une fois dans l'au-delà, les gens retrouvent leur apparence pré-décès, avec en prime un céleste filtre flou qui adoucit les traits, comme celui qu'utilisaient les réalisateurs de films des années quarante pour les gros plans sur leurs héroïnes féminines. Du moins, c'est l'expérience que j'en ai ; un autre médium pourrait bien vous dire autre chose.

Les trois mâles alpha entrent dans l'appartement, pendant que monsieur Valium tourne les talons et m'abandonne toute seule dans le couloir. Ou peut-être pas si seule que ça, finalement.

JEAN-SIMON

Fais dodo ?

Je n'en montre rien, mais j'ai vaguement la trouille. Les enquêtes qui m'ont été confiées jusqu'à présent n'impliquaient pas de cadavres. Pourvu que je ne tombe pas dans les pommes.

Les deux policiers me précèdent dans l'appartement et n'y font que quelques pas. Le corps n'est pas bien difficile à trouver, la cause de la mort peut-être un peu plus. Cassandra est assise dans un fauteuil, la tête appuyée contre une des oreillettes. Aucune marque de violence apparente, elle semble s'être simplement assoupie. Les yeux ouverts. Depuis plusieurs jours.

Figé pendant quelques instants, je réagis trop tard pour empêcher Emma d'entrer. L'affirmation sort de sa bouche comme si elle allait de soi :

— Elle a été empoisonnée.

— Elle te l'a dit ?

— Oui.

Les deux policiers nous regardent, le plus jeune avec suspicion, le plus vieux avec le sourire de celui qui en a vu d'autres.

— Vous êtes voyante, mademoiselle ?

— Pas vraiment, je m'habille presque exclusivement en noir.

J'étouffe un rire, c'est la réplique automatique d'Emma lorsqu'on utilise le mot « voyante », qu'elle déteste.

Le sergent Bouffard s'approche d'elle, toujours souriant.

— Je reformule. Êtes-vous médium ?

— Oui. Cassandra vient de me révéler qu'on l'a assassinée, probablement avec du poison.

— Pas de doute possible dans votre interprétation ?

— Aucun.

— Parfait, alors nous savons par où commencer.

— Vous êtes sérieux, ou vous dites ça pour vous moquer de moi ?

Le policier met quelques secondes à comprendre la question, comme si elle lui semblait saugrenue.

— Mademoiselle, je suis dans la police depuis assez longtemps pour reconnaître ceci : il y a des choses qui ne s'expliquent pas, mais qu'on doit accepter — comme votre don —, et dans une enquête, il ne faut négliger aucune piste, aussi invraisemblable qu'elle puisse paraître.

— Merci de me croire.

— Ça fonctionne comment pour vous ? Les esprits vous parlent, ou ils vous montrent des symboles ?

— Des symboles. Dites donc, vous avez de l'expérience on dirait ?

— J'ai déjà fait affaire avec des médiums, surtout pour des cas de disparition. S'il y a des charlatans dans le lot, quelque chose me porte à penser que vous n'en êtes pas une. Est-ce que la morte vous a mentionné autre chose ?

— C'est la grand-mère de Cassandra qui me l'a présentée. Ensuite Cassandra m'a laissé entendre qu'il s'agissait d'un empoisonnement, et que c'était possiblement un membre de la famille qui avait fait le coup, cependant, elle ne pouvait l'identifier. C'est vraiment tout ce qu'elle a dit.

— Et comment savez-vous que l'autre dame était sa grand-mère ?

Bon, je ne veux pas interrompre leur passionnante conversation, mais le moment est peut-être venu de déballer notre histoire. Je demande à tout le monde de passer à la cuisine. Je me suis habitué à l'odeur, pas à la présence de la morte.

EMMA

Mais c'est vrai qu'il me croit !

J'aime bien le sergent Bouffard. Pas seulement parce qu'il me laisse le bénéfice du doute, mais aussi parce qu'il est gentil (et grognon à la fois, une combinaison que j'adore), intelligent, ouvert. Tout le contraire de son laideron de partenaire ; celui-là me regarde avec l'insupportable condescendance des gens convaincus de leur supériorité, et de la simplicité d'esprit de tous leurs interlocuteurs.

J'ignore donc allègrement le jeune et m'adresse uniquement au vieux. Je lui explique la propriété à vendre et la visite de Margaret ; Jean-Simon lui parle de ses recherches généalogiques et de ce qui l'a amené à s'inquiéter, avec raison, du silence de Cassandra. Le sergent Bouffard prend la parole.

— Emma, ça vous arrive souvent que les esprits communiquent avec vous sans qu'un être cher soit présent ?

— À peu près jamais.

— Hum. Je miserais sur le fait que dans les deux cas, vous vous trouviez dans le domicile de celle qui vous a contactée. Est-ce que Margaret est morte dans sa maison ?

— Quand j'ai posé la question à l'agent d'immeuble, il n'a pas voulu me répondre. Mais son expression embarrassée en disait long. J'imagine qu'un décès sur les lieux, ce n'est pas bon pour la vente.

— Voilà notre explication.

C'est vrai que c'est logique. Mettons. Même si je ne suis pas convaincue que la logique peut s'appliquer aux histoires de fantômes.

Jean-Simon intervient.

— Ça ne nous dit pas pourquoi Margaret souhaitait parler à ses petits-enfants, ni pourquoi Cassandra a été empoisonnée.

— Une chose à la fois, mon garçon. La prochaine étape, c'est de s'entendre sur les termes de notre collaboration.

Voir la mâchoire de l'antipathique jeune policier tomber jusqu'au plancher m'apporte un plaisir sans bornes. Il s'étouffe presque en articulant :

— Collaboration, sergent ? Vous voulez rire ?

— T'es pas obligé de participer, Gladstone, le département pourra sûrement te trouver autre chose à faire. C'est pas moi qui m'en plaindrai.

Piqué au vif, l'agent se lève brusquement et quitte la pièce. Puis il revient, me tend sa carte professionnelle et murmure avant de repartir :

— Si t'as envie qu'on prenne un verre ensemble, appelle-moi.

C'est au tour de ma mâchoire de se retrouver au sol.

Lorsque je me remets de ma stupéfaction, c'est pour surprendre le sergent et Jean-Simon en pleine crise de fou rire.

— C'était quoi, ça ?? Avez-vous senti à quelque moment que ce soit que je pouvais avoir le moindre intérêt pour lui ?

— Pas du tout, ma chère. Gladstone a l'habitude que les femmes tombent à ses pieds, il ne lui est jamais venu à l'idée que vous pouviez être différente.

— En tout cas, bravo pour le culot.

Comme toujours lorsque je critique quelqu'un ou quelque chose, j'essaie de trouver un point positif. Voilà, c'est fait. Gladstone est un laideron condescendant et imbécile, mais il a un beau culot plein d'optimisme. Je relance le sergent Bouffard.

— Alors, cette collaboration ?

— Les termes sont simples : je mène l'enquête, vous m'aidez si j'en ai besoin. On va suivre le processus habituel, les deux premières étapes importantes étant la fouille de l'appartement et l'autopsie. Après, on verra. Je note vos coordonnées, et je vous tiens au courant.

— Et en attendant ? demande Jean-Simon.

— Vous pouvez bien faire ce que vous voulez, tant que vous ne jouez pas dans mes pattes et que vous m'informez de ce que vous découvrez. J'ai l'impression qu'on avancera pas mal plus vite si on part chacun de son côté.

— Parce qu'Emma et moi, on n'a pas de procédures officielles à suivre ?

— T'as tout compris. Maintenant, bon vent, laissez-moi faire mon boulot en paix. Mon équipe devrait arriver d'un instant à l'autre, je préférerais ne pas avoir à expliquer votre présence.

— Une dernière question : quand pensez-vous obtenir les résultats d'autopsie ?

— Ça peut prendre un certain temps, à moins d'avoir des relations bien placées. Par exemple, si votre femme travaille au laboratoire du médecin légiste.

— Vous lui direz bonjour de notre part.

— Je vais faire ça, oui.

Poignées de mains, échange de cartes professionnelles, bonsoir et merci.

Jean-Simon et moi retrouvons avec plaisir l'air frais de l'extérieur. Néanmoins, une question s'impose : c'est bien beau tout ça, mais on fait quoi, maintenant ?

JEAN-SIMON

Récapitulons

Bon. L'option la plus évidente est d'attendre que le sergent Bouffard nous transmette les résultats de la fouille et de l'autopsie. En même temps… ça nous donnera quoi, au juste, de connaître plus précisément de quoi est morte Cassandra ?

C'est cette question qui me réveille en pleine nuit et, l'esprit embrouillé, je n'arrive pas à y répondre. Je n'avais pas fait d'insomnie depuis des semaines, et voilà que c'est reparti. Tout ça, c'est la faute d'Emma. Non seulement elle m'embarque dans une enquête sans queue ni tête, mais j'aimerais bien savoir qui va me payer pendant que je néglige mes autres clients potentiels.

Le Caliméro en moi trouve que c'est trop injuste, alors j'appelle Emma pour qu'elle m'accompagne dans mon absence de dodo.

— Tu parles d'une heure pour téléphoner ! s'exclame-t-elle, la voix bien éveillée.

— Tu ne dormais pas ?

— Qu'est-ce que t'en penses ? Je n'arrête pas de voir le cadavre de Cassandra chaque fois que je ferme les yeux. Même la présence de Charles n'arrive pas à me rassurer. Et en plus, je ne sais toujours pas ce qu'on est censés faire.

— Moi non plus.

— On petit-déjeune ensemble pour en discuter ? J'ai tout ce qu'il faut, pointe-toi quand tu veux. Va donc dormir un peu avant, tu n'es pas du monde quand tu manques de sommeil.

— (…)

— Jean-Simon, t'es là ?

— Oui, j'attends juste les fleurs qui viennent généralement après le pot.

— Tu n'es pas du monde quand tu manques de sommeil, mais tu sens bon.

— C'est quoi le rapport ?

— Il n'y en a pas. À tantôt.

Tant pis pour elle, je refuse d'aller me recoucher. Je me prépare un espresso court bien tassé, sans aucun doute le premier d'une longue série, et je m'installe à ma table de travail avec mes notes.

Lorsque je m'embrouille dans mes enquêtes, je retourne toujours au point de départ. Puis je fais la liste des éléments connus, et des questions qu'ils suscitent.

1. Margaret a quelque chose à communiquer et ne veut en parler ni à ses héritiers directs, ni à Emma seule.

2. Pourquoi refuse-t-elle d'impliquer ses enfants ?

3. Selon mes recherches, il y a dix petits-enfants dans la famille.

4. La première descendante contactée est morte, possiblement empoisonnée.

5. Les deux décès sont-ils reliés ?

D'ailleurs, de quoi Margaret est-elle morte ? Lorsque quelqu'un s'éteint à un âge vénérable, j'imagine qu'on ne pratique pas d'autopsie. Mais si la clé était là ?

EMMA

MERCREDI 24 AVRIL
Un déni qui manque de subtilité

À voir la gueule que fait Jean-Simon, je comprends qu'il n'a pas plus dormi que moi. Je prépare une carafe de café bien fort et dépose un panier de bagels sur la table.

— Des bagels, Emma ? Pas du pain bio sans gras, sans sucre et sans saveur ?

— Ah, fais chier. Ils étaient en spécial.

— Depuis quand tu te préoccupes des spéciaux, toi ?

— Dis donc, mon chou, tu n'avais jamais mentionné que ton père et tes frères étaient policiers ?

— Non.

— Parce que ce n'est pas venu sur le sujet, ou parce que tu préfères ne pas en parler ?

— Les deux.

— C'est quoi le problème ?

— En gros, je suis le mouton noir parce que j'ai refusé de devenir policier à mon tour et de perpétuer la tradition familiale. Je n'ai presque plus de contacts avec eux, à part à Noël pour faire plaisir à ma mère. Hé, je pense à ça, tu ne devrais pas être en train de travailler, toi ?

J'éclate de rire. C'est devenu un classique entre nous : chaque fois que je lui pose une question indiscrète, Jean-Simon me demande si je ne devrais pas être en train de travailler. Pas dans le sens de recevoir des clients qui veulent parler aux esprits, dans le sens de bosser pour mon vrai boulot de consultante. La réponse

41

officielle est « Non, je suis entre deux mandats ». La vraie réponse est « Non, je n'en ai pas envie ». Et pas besoin non plus.

Il y a un peu plus d'un an, mon gentil fiancé est décédé, tué par un chauffard saoul à quelques mètres de moi. Brillant, bien payé et adroit dans ses placements, mon Alex avait amassé un intéressant magot. Et son testament stipulait que tout me revenait.

Refusant de toucher à cet argent, je suis passée très près de le remettre à une œuvre de charité, comme je le fais d'habitude lorsque des clients qui ont recours à mes services de médium ne veulent pas croire que je les reçois bénévolement. Mais cette fois, ce n'était pas par grandeur d'âme, plutôt par frustration : je communique avec les esprits, bordel, et l'amour de ma vie ne s'est jamais donné la peine de venir me visiter.

Les copines avaient, bien entendu, une opinion. Assez unanime, d'ailleurs. Ça tournait autour de « T'es folle ». Elles n'avaient pas tort.

Prévoyant un jour arriver à mettre de côté mes scrupules, j'ai décidé d'arrêter de travailler et de me laisser vivre pendant quelque temps, sans pour autant utiliser l'argent d'Alex, préférant gruger dans mes économies personnelles, qui ont aujourd'hui pour ainsi dire disparu. Le moment de prendre une décision approche, je le sais bien. Le problème, c'est qu'accepter de toucher mon héritage, c'est accepter qu'Alex soit mort. Pas très subtil comme déni.

Une chance que Charles n'est pas au courant de tout ça. Il est bien gentil, mon nouvel amoureux, mais je ne crois pas qu'il apprécierait.

Entre deux bâillements et deux bouchées de bagels gras, sucrés et pleins de saveur, le détecteux et moi abordons enfin le sujet qui nous préoccupe. Je parcours sa liste, et ce que je retiens surtout, ce sont les points d'interrogation. J'essaie de me montrer optimiste.

— Ce qui est génial, c'est qu'on a maintenant un contact dans la police. On pourrait lui demander de faire des recherches du côté de Margaret, non ?

— Tu veux dire pour savoir si elle a été empoisonnée? Ça m'étonnerait que ce soit aussi simple que ça. S'il y a eu une autopsie, il faudra sûrement la permission de la famille pour rouvrir le dossier. S'il n'y a pas eu d'autopsie, c'est encore pire: j'imagine que la famille doit autoriser l'exhumation du corps pour qu'il soit examiné. D'une manière ou d'une autre, si on veut suivre la volonté de Margaret de ne pas communiquer avec ses enfants, on est cuits.

— Bref, notre unique piste est de s'entretenir avec Margaret.

— Si le sergent Bouffard a vu juste, la seule façon d'entrer en contact avec elle est de se rendre dans sa maison, où elle va sans doute de nouveau demander à parler à un de ses petits-enfants.

— Retour à la case départ.

— Exact. La seule solution que je vois, c'est d'essayer de trouver les autres descendants.

— Des heures de plaisir en perspective. Tu veux que je t'aide? Mes prochains clients n'arriveront pas avant midi. Installe-toi, je vais chercher mon ordi.

JEAN-SIMON

Nous avons un plan

Emma revient avec son ordinateur portable, je sors le mien de son sac de transport et nous nous installons face à face à la table de cuisine.

Je m'attaque aux hommes, Emma aux femmes. On ne peut que remercier Alfred de ne pas s'être appelé Tremblay, ça aurait rendu la tâche encore plus ardue.

Le plus difficile, c'est que nous ne savons rien de ces gens, à part leur nom et certaines dates de naissance glanées sur un site de généalogie. Personne sur les photos des photos ne porte un uniforme qui aurait au moins pu nous donner une mince piste. Alors, même si je trouve un Louis Ladouceur qui a gradué de l'Université Concordia en 2002, un Louis Ladouceur pharmacien et un Louis Ladouceur clown, je ne suis pas vraiment plus avancé.

Emma n'en mène pas large non plus. Elle a posé son front sur la table il y a trois minutes et n'a plus bougé depuis. Elle relève soudainement la tête et hurle :

— J'ai une idée de plan d'attaque !

— Oui ?

— Ce dont on a besoin, c'est de plus d'information sur les petits-enfants pour arriver à les retrouver.

— Bravo, t'as tout compris.

Elle ignore le sarcasme et continue de s'enflammer à propos de son plan.

— Les exécuteurs testamentaires sont William et Marie Ladouceur, les deux descendants de Margaret qui se sont le plus reproduits. C'est avec eux qu'il faut discuter.

— Mais Margaret refuse que tu t'adresses à eux ! Si tu le fais, elle ne voudra probablement plus te parler.

— Et c'est ça, mon idée ! On a besoin de quelqu'un d'autre pour servir d'intermédiaire. On demande à Anne et Jean-Philippe de dire à l'agent d'immeuble qu'ils exigent de rencontrer les exécuteurs testamentaires avant de faire une offre sur la maison. On leur refile une série de questions à poser, et le tour est joué !

— Des questions sur leurs enfants ? Comment pourraient-ils insérer ça dans une conversation sur l'achat d'une propriété ?

— Tu ne connais pas Anne. Si tu lui donnes une mission, compte sur elle pour trouver une façon de la remplir.

— C'est juste assez niaiseux pour fonctionner. Tu l'appelles ?

— Elle travaille de chez elle aujourd'hui, je vais aller la chercher.

Moins de deux minutes plus tard, Anne est avec nous dans la cuisine et nous écoute attentivement lui exposer notre plan. Son expression sceptique change du tout au tout lorsque Emma lance : « Ce serait comme une mission secrète ! ». Immédiatement, Anne s'illumine et commence à réfléchir à ce qu'elle pourrait raconter à William et Marie.

— L'agent d'immeuble croit déjà que je suis vaguement excentrique, j'ai juste à jouer cette carte à fond ! Dire que je refuse d'habiter dans une maison sans connaître ceux qui y ont vécu avant.

— C'est bon, ça ! Qu'est-ce que t'en penses, Jean-Simon ?

— Bon ou ridicule, la ligne est mince. Mais ça vaut le coup d'essayer. T'es certaine que ton chum embarquera ?

— Tellement ! Le journaliste en lui va complètement triper.

Il semblerait donc que nous ayons un plan d'action. Anne nous promet d'organiser la rencontre rapidement, dès demain si possible.

EMMA

Appelez-moi Mata

Anne et Phil marchent vers la maison de Margaret et nous les attendons dans ma voiture. Je sais que Jean-Simon me trouve débile, mais je m'amuse à fond. Je suis en ligne avec le cellulaire d'Anne, placé stratégiquement dans son sac à main pour que nous puissions suivre la conversation. Pour l'instant, tout ce qu'on entend, ce sont de désagréables bruits de sacoche ; ça devrait s'améliorer lorsque Anne arrêtera de bouger.

— Les nerfs, Mata Hari, ce n'est pas de l'espionnage, c'est juste une filature comme une autre.

— Pour toi, peut-être, mais pour moi, c'est une première ! Oh, chut chut, je les entends.

D'accord, pas aussi audible que je l'aurais souhaité, mais ça fera l'affaire. Présentations d'usage, merci d'avoir accepté le rendez-vous de dernière minute, ce n'est rien ce n'est rien, venez donc vous asseoir, voudriez-vous quelque chose à boire, non merci c'est gentil.

C'est Jean-Philippe qui prend les devants.

— William et Marie, vous devez penser qu'on est un peu particuliers de demander cette rencontre…

— Non non ! Pas du tout ! s'empresse de répondre William. Et s'il vous plaît, appelez-moi Bill.

— C'est ma faute, s'excuse Anne. Je suis convaincue qu'une maison conserve les ondes de ses propriétaires précédents, et que si elles sont négatives, elles pourraient nous être transmises.

Un bon ménage karmique de sauge brûlée peut aider, sauf que ce n'est pas toujours suffisant.

Ménage karmique ! Wouhaaa ! Jean-Simon me regarde avec un gros « hein ? » dans les yeux, mais s'abstient de tout commentaire.

— On comprend ça, on comprend ça, sympathise Bill.

C'est moi ou il est un peu trop aimable, le monsieur ?

— Alors, reprend Anne. Parlez-nous de vous un peu ! Vous avez grandi dans cette maison ?

Si Marie s'était montrée discrète jusqu'à maintenant, Anne venait d'ouvrir la porte à un déluge de paroles.

— Oui, on a grandi ici et à Saint-Jean de Terre-Neuve, mon père avait des bureaux dans les deux villes, et mes parents avaient aussi un appartement à Québec, où on allait moins régulièrement, il fallait être courageux pour entreprendre le voyage avec une si grosse famille, on était six enfants, que voulez-vous, mes parents étaient comme ça, ils aimaient ça se promener hi hi hi. On est tous un peu comme ça aujourd'hui, sauf mon frère Kevin, lui il est devenu un genre d'ermite, c'est difficile de lui en tenir rigueur, il a toujours été solitaire, il habite dans la région de Montréal, mais on ne le voit pas très souvent, il est venu l'autre jour à une réunion de famille et c'était la première fois depuis trois ans, il avait maigri ce n'est pas possible...

— Marie, tu te perds dans tes explications, l'interrompt Bill.

— Oh je sais, je suis comme ça, que voulez-vous ! Hi hi hi ! C'était quoi la question, déjà, hi hi hi ?

— Je vous demandais si vous aviez grandi ici.

— Oui, surtout ici. C'était notre port d'attache, comme on dit, hi hi hi. Même quand on a tous fini par partir faire notre vie, on revenait régulièrement pour des soupers de famille chaque dimanche, jusqu'à la mort de papa. Après ça, maman avait moins le goût. Quand on venait tous avec nos enfants, ça faisait une méchante tablée ! Hi hi hi !

— Il y avait beaucoup de petits-enfants ?

Bravo, Phil! Entrons dans le vif du sujet!

— Dix en tout, ça vous menait tout un boucan! La maison a beau être assez grande, quand ça se mettait à jouer à la tag...

— Êtes-vous toujours en contact avec eux?

La question d'Anne, pas des plus subtiles, a le mérite de ramener Marie aux préoccupations plus importantes... tant qu'elles ne sont pas noyées dans un torrent de mots inutiles. C'est qu'elle en dit, des choses, la Marie! Et pourquoi ces rires chaque fois qu'elle finit une phrase? Mais elle est si gentille.

— Ça dépend lesquels. Les miens, bien sûr, hi hi hi! Moi j'ai eu des jumeaux, ils viennent tous les deux de passer leur Barreau, ils sont bien intelligents, quand on est femme au foyer, nos enfants sont nos plus beaux accomplissements, ma plus vieille est coiffeuse, elle a son propre salon, et là elle va en ouvrir un deuxième...

— Vous devez être bien fière! la coupe gentiment Anne. Je trouve toujours ça fascinant de voir les chemins de vie qu'empruntent les enfants. Et vos neveux et nièces, eux, qu'est-ce qu'ils sont devenus?

J'aime mon amie. Je pense que Jean-Simon aussi; il sourit en prenant des notes sur sa copie de l'arbre généalogique.

— On en a une qui a suivi les traces de sa mère médecin, ma sœur Linette, et qui est urgentologue, mais elle on la voit moins, depuis un bout de temps, ses parents sont déménagés en Floride il y a deux ans, alors elle se mêle moins des histoires de famille, surtout qu'elle est en *burnout*. Que voulez-vous, c'est un emploi tellement stressant, hi hi hi! Sa jeune sœur aussi a fait sa médecine, elle est devenue chirurgienne plastique, elle habite quelque part dans les Laurentides. La fille de mon frère Georges est consultante, elle a fait son génie civil...

Jean-Simon et moi nous regardons, consternés, comprenant soudain que Marie parle de Cassandra, et qu'elle ne sait visiblement pas que sa nièce est décédée. Bill l'interrompt.

— Moi, mes trois fils se sont tous bien placés. Mon plus vieux a repris les rênes de la compagnie de mon père, c'est à son tour de partager son temps entre trois villes. Celui du milieu est devenu pharmacien comme moi, et mon dernier est médecin.

— Infirmier, Bill! Hi hi hi!

— C'est pareil, il ne peut juste pas prescrire de médicaments! s'impatiente le fier papa. C'est quand même ben mieux que le fils d'Isabella, il n'a même pas fini son secondaire pis il passe de job en job depuis des années!

Le détecteux lève vers moi des yeux étonnés : mon plan de fou a fonctionné! Grâce à Marie-la-pie, nos espions ont réussi à obtenir des informations prometteuses sur chacun des petits-enfants, en plus de découvrir le nom du sixième enfant, Kevin. Même s'il reste beaucoup de recherches à faire, au moins on a maintenant assez d'indices pour savoir quelle direction prendre.

J'écoute la fin de la conversation, juste au cas où d'autres renseignements pertinents en sortiraient, mais le frère et la sœur se contentent de s'obstiner sur des détails insignifiants. J'envoie un texto à Phil : « Mission accomplie! »

Avant de les laisser partir, Bill pose à Anne et Jean-Philippe la question qui devait le démanger depuis le début de la rencontre.

— Alors… allez-vous acheter la maison?

— Oh, on doit en discuter… commence Anne.

— On va vous faire un bon prix, vous savez!

— Je n'en doute pas, cependant…

— C'est qu'on est pas mal pressés, vous comprenez…

— Bill, on n'est pas pressés, pourquoi tu dis ça? Hi hi hi!

— Juste de même. Faudrait pas que toute cette histoire traîne trop non plus, on a notre vie, nous aussi…

— Vous excuserez mon frère, il est bizarre, des fois. Prenez le temps nécessaire, tant qu'il n'y a pas d'offres sur la table, on ne va pas vous mettre de pression. Hi hi hi!

Les sourires triomphants d'Anne et Phil lorsqu'ils sortent de la maison veulent tout dire. Est-ce que j'ai mentionné que j'aimais mes voisins?

JEAN-SIMON

Précisions

Nos aiguilles dans une botte de foin se sont transformées en aiguilles à tricoter, drôlement plus faciles à trouver.

Google par-ci, LinkedIn par-là, quelques minutes me suffisent pour trouver Daniel (président de BLB), Louis (pharmacien à Québec) et Colin (infirmier à Saint-Eustache), les trois fils de Bill. Là où ça se corse, c'est pour les enfants des femmes de la famille, qui ont probablement pris le nom de leur père. Triple idiot, je n'avais pas pensé à ça. Dans l'excitation du moment, nous n'avons pas planifié correctement les questions d'Anne et Jean-Philippe. Bravo le détective, super travail de préparation.

Emma propose d'en parler à Anne et s'empresse de lui téléphoner.

— Mon espionne préférée, on a encore besoin de tes services !

— J'arrive !

En moins de deux, Anne entre par la porte arrière, le sourire fendu jusqu'aux oreilles. Je pense qu'elle a aimé son expérience d'hier.

— Quoi quoi quoi ?

— Il faut que tu nous trouves le nom de famille des enfants de Marie et de Linette.

— Hein ? Ben là ! Comment tu veux que je fasse ça ?

— T'as le numéro de téléphone de Marie-la-pie, non ? À la quantité d'informations qu'elle régurgite, ça ne devrait pas être trop difficile !

51

— Tu l'appelles Marie-la-pie ? Moi je l'ai surnommée Marie-hi-hi !

— Marie-la-pie-hi-hi, d'abord !

J'ai un flash, alimenté par mes recherches des derniers jours. J'interromps leur rigolade.

— Anne ? Parle de généalogie ! Dis-lui que c'est ton passe-temps, que tu as trouvé leur histoire de famille fascinante, et que tu aimerais leur offrir un arbre généalogique parce qu'ils ont été si gentils.

— T'es sérieux ?

— Si t'as une meilleure idée, vas-y, mais la mienne me semble, euh… peut-être pas plausible, mais presque.

— Donnez-moi un peu de temps pour réfléchir. J'ai une télé-conférence qui commence dans cinq minutes, je reviendrai après pour appeler Marie, comme ça vous pourrez m'aider si j'en ai besoin.

Je l'avoue, Anne me surprend. Je l'avais rencontrée à quelques reprises auparavant, et j'ai toujours cru qu'elle était plutôt super-ficielle, égocentrique, un rien idiote, beaucoup trop préoccupée par l'opinion des autres et plutôt inintéressante. À la voir aller depuis hier soir, je me rends compte que j'avais tort.

— Alors, t'as décidé que mon amie te plaisait ? me demande Emma, une lueur taquine dans les yeux.

— Dans le sens de… ?

— Tu ne t'attendais pas à ce qu'elle participe à fond et qu'elle fasse un si bon travail d'espionne, et elle te plaît davantage maintenant que tu la connais mieux.

— Parlant de connaître mieux, peux-tu arrêter de lire dans mes pensées, s'il te plaît ? C'est vraiment désagréable.

Pour être tout à fait honnête, Anne me rappelle parfois Emma. Sens de l'humour similaire, inventage de mots contagieux, mais surtout cette espèce de mur de protection qu'elles ont toutes les deux érigé à coups de plaisanteries, de remarques caustiques et de détachement. Ce qui est intéressant, c'est que le mur a ses failles. On entrevoit régulièrement leur sensibilité aux malheurs des autres et leur envie de les aider. Je continue toutefois de trouver que malgré son apparence moins soignée, avec ses petits cheveux bruns ébouriffés et sa bouche en cœur, mon Emma est beaucoup plus mignonne.

Est-ce que je viens vraiment de penser « mon » Emma ?

EMMA

(…)

— Bonjour, Marie? C'est Anne! On s'est rencontrées hier au sujet de la maison de votre mère. (…) Oui, oui, c'est ça. Vous allez bien? (…) Bon, c'est super. Écoutez, j'ai une proposition un peu étrange à vous faire: que diriez-vous si je vous préparais l'arbre généalogique de votre famille? (…) Oui, c'est mon passe-temps. (…) Non, non, ça ne vous coûtera rien. (…) Non, je ne suis pas mormone. (…) Ha ha, oui, effectivement. (…)

À voir le sourire d'Anne, je pense que c'est dans la poche. L'idée de Jean-Simon s'est avérée excellente, il faut dire que la naïveté de Marie aide beaucoup. Très gentille, mais un tit peu nounoune quand même.

— Si vous voulez bien me donner les noms complets de tout le monde, ce sera parfait pour débuter. Ensuite, j'aurai besoin des dates et des lieux de naissance. (…) Oh ce n'est pas grave si vous n'avez pas toutes les dates exactes, je m'attaquerai en premier à celles dont vous vous souvenez. (…) Ha ha, c'est ça, oui, sortez votre calendrier. (…)

Anne s'empare du crayon que je lui tends et commence à gribouiller sur la copie de l'arbre généalogique produit par Jean-Simon, où les trous se remplissent maintenant à vue d'œil. Elle conclut sa discussion avec Marie, lui promettant de lui envoyer l'arbre généalogique dès qu'elle aura eu du temps pour s'en occuper. Connaissant mon amie, il y a de bonnes chances pour qu'elle en paie un de sa poche, simplement pour éviter de décevoir Marie.

Le détecteux et moi remercions chaleureusement Anne, qui repart chez elle avec le sentiment du devoir accompli. Jean-Simon se réinstalle devant son ordinateur, mais je le fous à la porte sans ménagement :

1. Des clients doivent arriver d'une minute à l'autre ;
2. Je dois ensuite me préparer pour un rendez-vous galant. Charles et moi, on n'a pas souvent l'occasion de sortir en amoureux, mes soirées étant trop souvent consacrées aux esprits. J'en trépigne d'impatience.

Mes clients se pointent pile à l'heure. Madame Perruque-croche, monsieur Kit-de-jogging et monsieur Manque-trois-dents entrent dans mon appartement. La cinquantaine (et plus) avancée, ils ont l'air terrorisés. Ils m'ont indiqué vouloir parler à leur sœur ; je ne sais pas si c'est d'elle qu'ils ont peur ou de moi, et j'ai toutes les misères du monde à me retenir de leur faire un gros « Bouh ! ».

Je les installe au salon, qui ne sert plus jamais de salon depuis que je suis au-delàienne. Il a une nouvelle vocation où la télévision et les conversations entre amis n'ont plus leur place. J'ai tout aménagé pour favoriser le confort de mes visiteurs, et le mien aussi. Divans moelleux et coussins colorés pour eux, fauteuil à oreillettes pour moi. Je le regarde avant de m'asseoir, et j'ai un *flashback* inattendu de Cassandra. Et un immense besoin, là, maintenant, de venger sa mort. Je ne la connais pas, je n'ai aucune idée du genre de personne qu'elle était ; néanmoins, je veux que son meurtrier paie. Très cher.

Ces idées de vengeance ne me conviennent visiblement pas, mon cerveau refuse de laisser entrer l'esprit de la sœur. Je m'excuse auprès de mes clients et les pousse vers la porte sans trop de ménagement.

JEAN-SIMON

Mélange mortel

Avant que je ne parte de chez Emma, nous avons convenu que je communiquerais les informations recueillies au sergent Bouffard, et que j'en profiterais pour demander des nouvelles de son enquête.

— Empoisonnement, dit-il.

— À quoi ?

— Ça, ça ne vous regarde pas. Je ne vais pas entrer dans les détails, parce que ce que le meurtrier ou la meurtrière a utilisé est pour le moins ingénieux, que je ne vous connais pas, et que je n'ai pas envie que ça vous donne des idées.

— Vous pouvez quand même me transmettre un peu d'information, non ?

— Tout ce que je dirai, c'est que le produit, qui est illégal au Canada, ne fonctionne que s'il est combiné au vin rouge.

— Pardon ?

— Le poison reste dans votre système pendant une certaine période, et si vous prenez une quantité suffisante de vin rouge, il commence lentement à agir. Il circule dans vos veines, prend tranquillement position, et puis boum ! La mort frappe avec une rapidité fulgurante. La victime a à peine le temps de faire « hein ? » que c'est déjà terminé.

— Si c'est comme ça que ça se déroule, je me demande comment Cassandra a pu savoir qu'elle avait été empoisonnée.

— Ah ça, mon cher, c'est à votre amie médium qu'il faut poser la question. Il y a tout de même autre chose que je peux vous dire :

l'appartement de la victime a été passé au peigne fin, nous n'avons trouvé de trace de vin rouge nulle part. Aucune bouteille, aucun verre sale.

— Le meurtrier est reparti avec son attirail ?

— Ça, ou bien elle a bu le vin ailleurs, est retournée chez elle, et c'est là que la mort est survenue.

EMMA

C'est quoi l'affaire ?

Ma séance annulée, il me reste beaucoup trop de temps avant que Charles ne vienne me chercher. J'en profiterais bien pour rendre visite à ma voisine préférée.

Anne ne se fait pas prier pour s'accorder une autre pause et une sixième tasse de café. Elle a rapporté de son séjour à Istanbul un *cezve*, qu'on appelle communément cafetière turque, dont elle ne peut plus se passer. De ça et des lampes. Et des coussins. Et des rideaux. Et des tapis. Si bien qu'entrer chez Anne et Jean-Philippe, c'est un petit peu comme faire un voyage. Je lui demande si Istanbul lui manque.

— Parfois, oui. Mais comme l'objectif de mon expédition était avant tout de retrouver Jean-Philippe, et que je l'ai ramené dans mes bagages, c'est plus comme une petite nostalgie de ce bel intermède.

— Parce que tu n'as pas travaillé pendant six mois, ou parce que tu étais follement amoureuse ?

— Oui, il y a ces deux aspects non négligeables, mais aussi… je ne sais pas trop comment l'expliquer. Mon impulsion d'aller rejoindre Jean-Philippe, malgré le fait que nous n'étions plus ensemble, aurait pu être la pire idée de ma vie, et je m'en foutais. C'était la première fois que ça m'arrivait de prendre une décision si importante sans penser aux conséquences immédiates, en suivant simplement mon cœur et en disant à ma tête et à mon orgueil de se la fermer.

— Ça a été un moment déterminant pour toi.

— Oui, plus rien n'a été pareil, après. C'était un gros change-ment de perspective, comme si toute ma vie j'avais regardé vers le nord, et que tout à coup j'avais fait volte-face et m'était tournée vers le sud.

— Belle utilisation de l'expression volte-face, mon amie.

— Merci. J'en suis plutôt fière.

— Je t'admire, tu sais. Ce n'est vraiment pas tout le monde qui arrive à se lancer dans une relation sans retenue.

— Tu parles de toi, là ?

Oui, je parle de moi. Charles est merveilleux, sur tous les plans. La première chose que j'ai remarquée chez lui (à part ses yeux pétillants, ses mignons cheveux bouclés et son sourire cra-quant), c'est qu'il n'a pas de petit nuage noir au-dessus de la tête. Il est positif et enjoué, sans pour autant être agaçant d'optimisme. Son humour légèrement sarcastique me fait éclater de rire à tout bout de champ, et j'aime ça, moi, éclater de rire. Et plus que tout, je me sens en confiance avec lui, et je suis convaincue que je peux être moi, tout simplement.

Bref, c'est quoi le problème ? Anne me pose justement la même question.

— Aaaaah je ne sais pas…

— C'est évident que vous vous aimez.

— Aucun doute.

— Alors ?

— Alors je pense qu'on est à un tournant, et j'ai du mal à tourner.

— Est-ce que ça a quelque chose à voir avec Alexandre ?

— On pourrait croire que oui, ce serait logique que l'atta-chement à mon fiancé mort m'empêche de m'investir à fond. Pourtant, je ne pense vraiment pas que c'est ça.

— Tu sais que ça me fait toujours plaisir de jaser avec toi, et qu'on peut continuer aussi longtemps que tu veux. Mais peut-être qu'en discuter ouvertement avec Charles serait une meilleure option ? Ce qui en ressortirait pourrait te surprendre !

— Tu n'as probablement pas tort. Une des raisons pour lesquelles je l'aime tant, c'est qu'il n'a pas peur des vraies conversations. OK, un deux trois go, je vais me préparer.

— Prends un bon bain relaxant avec un peu de jazz en sourdine, choisis des vêtements dans lesquels tu te sens bien, respire, souviens-toi que tu l'aimes, ne mets pas tes doigts dans ton nez, et tout va bien aller.

J'ouvre la porte en riant, déjà plus détendue qu'avant mon arrivée chez Anne, lorsqu'elle me lance :

— Emma ? Pendant que tu y es, jette donc un coup d'œil vers le sud, on ne sait jamais ce que tu pourrais y découvrir.

JEAN-SIMON

VENDREDI 26 AVRIL

Bip et rebip

Notre semblant d'arbre généalogique rempli de notes, les miennes et celles d'Anne, est en voie de devenir illisible. Je prends donc quelques minutes pour en refaire un plus soigné. Oui, je suis ce genre-là. J'aime quand les choses sont nettes et ordonnées. L'avantage, c'est que réécrire tout ça à l'ordinateur m'aide à y voir plus clair, tant au propre qu'au figuré.

Margaret et Alfred

WILLIAM	MARIE	GEORGES	LINETTE	KEVIN	ISABELLA
1956	1962	1957	1960	1965	1967
Pharmacien	Femme au foyer		Gynécologue Floride	Ermite	

DANIEL	MAGGIE	CASSANDRA	JANE		DAVID
1976	1984	1978	1981		1988
CEO BLB	Coiffeuse	Consultante Génie civil	Urgentologue — burnout		Sans emploi

LOUIS	AL		SARA
1978	1987		1982
Pharmacien	Avocat		Chirurgienne plastique

COLIN	FRED
1981	1987
Infirmier	Avocat

J'ai donc neuf petits-enfants à trouver. En contacter six devrait être suffisant pour l'instant, en espérant qu'ils pourront m'aider à communiquer avec les trois autres.

Daniel sera sans doute le plus facile à localiser, puisqu'il a pris les rênes de l'entreprise familiale, *Bateaux Ladouceur Boats*, maintenant connue sous le nom plus seyant de BLB. Le siège social de Montréal m'apprend qu'il est à la filiale de Québec, où on m'annonce qu'il se trouve au bureau de Saint-Jean de Terre-Neuve, qui eux m'obstinent qu'il est à Montréal. Je laisse des messages aux trois endroits, il finira bien par arriver quelque part.

Grâce à leur appartenance à des associations professionnelles, je retrouve sans peine la trace du pharmacien et des deux avocats. Mais décidément, la famille Ladouceur est difficile à joindre. Tout ce beau monde a droit à un message plutôt vague, suffisamment intrigant pour qu'ils aient envie de me rappeler.

L'urgentologue fait elle aussi partie d'une association, mais puisque Jane est en congé pour épuisement, la réceptionniste de son bureau refuse de m'aider. Canada411 me propose deux Jane Ladouceur, et vingt-deux J. Ladouceur sur l'île de Montréal. Je laisse des messages aux deux premières et délaisse les autres J. pour concentrer mes efforts sur Maggie, la coiffeuse. «Coiffure Maggie»? La vie est parfois si simple. Il y en a deux dans le bottin; j'essaie le premier numéro et je demande Maggie Ladouceur. On m'apprend que Maggie n'est pas au salon, et qu'elle sera là à partir de 9 h le lendemain. Regardez-moi bien être sur le téléphone à 9 h 01.

D'ici là… quelqu'un voudrait bien me rappeler, s'il vous plaît?

Je dis ça, mais ces conversations m'angoissent un peu… Je me suis même écrit un petit scénario pour m'aider:

1. Ne vous inquiétez pas, je ne suis pas fou;
2. Votre grand-mère Margaret a demandé à vous parler à travers une médium;

3. Je communique avec tous ses petits-enfants, nous tentons de mettre sur pied une rencontre le vendredi 10 mai prochain (ne pas oublier de donner l'adresse);

4. Il me manque les coordonnées de votre cousine X, les auriez-vous, par hasard?

J'aimerais parfois être de ceux qui savent mentir comme ils respirent. Je trouverais alors un subterfuge pour les faire venir à la rencontre, plutôt que de miser sur une vérité franchement invraisemblable. En plus, jouer franc jeu me pose quelques problèmes:

1. Je n'ai pour l'instant aucun petit-enfant à utiliser en exemple pour les motiver, comme dans « Bien sûr que vous devriez venir, X et Y ont déjà confirmé leur présence! »;

2. Je ne peux pas leur dire que leur vie est en danger, puisque je n'ai aucune preuve que le meurtre de Cassandra est relié à la famille, et que je ne veux pas provoquer une panique.

EMMA

Je dois apprendre à me la fermer

Charles arrive au moment où j'apporte la touche finale à mon maquillage minimaliste. J'ai mis plus de temps à me préparer mentalement que physiquement ; dix minutes pour douche, habillement et cheveux, une demi-heure à tourner et retourner mon questionnement amoureux dans ma tête, et une autre demi-heure à méditer pour me débarrasser de toutes ces questions. C'est clair que je ne trouverai pas les réponses toute seule, à quoi bon me torturer.

Il est beau, mon monsieur. Une élégance naturelle se dégagerait de lui même s'il était déguisé en clown. Entre le moment où je lui ouvre la porte et celui où il me prend dans ses bras pour m'embrasser tendrement, aucune parole n'est échangée, et l'air se charge d'une promesse palpable. La soirée sera merveilleuse. Si j'arrive à me la fermer.

— Charles, il faut qu'on discute.

JEAN-SIMON

Et de trois

9 h 02. Le téléphone du salon de coiffure sonne plusieurs coups avant que l'on décroche. La voix au bout du fil n'est pas des plus enjouées.

— Coiffure Maggie.

— Bonjour, j'aimerais lui parler, s'il vous plaît.

— Je suis Maggie. Vous voulez un rendez-vous?

— En fait, non, je vous appelais pour une tout autre raison. Je…

— Écoutez, je suis désolée, mais ce n'est vraiment pas un bon moment.

— Je n'en ai que pour quelques minutes, vous…

— Quoi que ce soit que vous vendez, je ne suis pas intéressée. Au revoir.

— Ne raccrochez pas, je ne suis pas un vendeur, je…

— Monsieur, ma mère est décédée hier soir. Laissez-moi tranquille.

Clic.

Je regarde l'arbre généalogique pour confirmer mes soupçons: Marie vient d'y passer.

Une tristesse inattendue m'envahit. Je l'aimais bien, moi, Marie. C'est quoi cette famille où tout le monde tombe comme des mouches?

J'appelle Emma, qui éclate en sanglots au bout du fil. Je lui promets d'aller la voir tout de suite après avoir réussi à parler au sergent Bouffard.

EMMA

Mourir, dormir, même combat

Je suis inconsolable. Après une soirée à discuter avec Charles suivie d'une nuit à pleurer parce que nous avons rompu, la mort de Marie-la-pie-hi-hi arrive comme un coup de masse qui m'achève et m'envoie au plancher, littéralement. C'est là que me trouve Jean-Simon, roulée en boule, sur le point de m'endormir d'épuisement émotif.

— C'est le décès de Marie qui te met dans cet état ?

— Oui, et le décès de ma relation avec Charles. C'est un peu trop de deuils pour une même journée.

— C'est fini avec Charles ? De quoi tu parles ?

— Pas envie d'en discuter. Brûlée. Il faut que tu me racontes la réaction du sergent, mais pas maintenant. Besoin d'un dodo.

— As-tu quelque chose pour t'aider ?

— Des comprimés de valériane devraient faire l'affaire. Tu peux rester ici, si ça te tente, y a du vieux café dans la carafe.

— Tu veux un câlin ?

— Non, je veux mourir. Oups, dormir.

Joli lapsus. Jean-Simon est gentil de ne pas se moquer.

J'aimerais appeler une amie, lui raconter en détail la soirée d'hier, me lover dans sa sympathie, l'entendre me répéter plusieurs fois que j'ai pris la bonne décision, qu'il n'y avait pas d'autre option. Sauf qu'aucune de mes copines ne mentirait pour me faire plaisir.

Le sommeil me gagne peu à peu, la valériane fait son œuvre et ramollit tant ma tête que mon corps. Les pensées cohérentes me quittent, je me sens lentement dériver.

RHEEEEEIIIINNNNG!

Il faudrait vraiment que je change ma vieille sonnette, c'est le son le plus agressant sur la terre.

RHEEEEEIIIINNNNG!

J'entends le détecteux ouvrir la porte et discuter à voix basse avec une interlocutrice que je ne reconnais pas, jusqu'à ce qu'elle élève la voix, impatiente. Manquait plus que ça : ma dorénavant-ex-belle-mère qui s'en mêle. Le pauvre Jean-Simon ne fait pas le poids devant l'intimidante Marielle Denoncourt.

— Emma? Emma, je sais que tu es là! Je ne partirai pas tant que tu ne m'auras pas parlé, autant le faire maintenant.

Depuis que son fils et moi avons commencé à nous fréquenter, Marielle a laissé tomber le pompeux vouvoiement qui établissait une respectable distance entre nous. Elle a bien insisté pour que je la tutoie, mais j'en suis incapable, même si nos péripéties visant à remporter l'héritage de Louis-Joseph nous ont considérablement rapprochées. Pas assez cependant pour qu'elle se permette de se mêler de mes oignons.

Je me lève tant bien que mal, la tête toujours dans le brouillard.

— Bonjour, Marielle.

— Ah, Emma! Je savais bien que tu accepterais de me parler!

— Pas nécessairement, j'ai seulement dit bonjour. Si vous êtes ici au sujet de Charles, vous pouvez retourner chez vous. Je ne vous laisserai pas vous immiscer dans nos histoires.

— Je vois que tu n'as rien perdu de ta diplomatie.

— Désolée, Marielle, je suis certaine que vous avez les meilleures intentions du monde, mais je n'ai rien à vous dire.

— C'est parfait, de toute façon c'est moi qui veux te parler. Tu n'as qu'à t'asseoir et m'écouter.

J'ai l'impression d'avoir un pitbull accroché à mon bras; j'aurais beau le secouer, il ne lâchera pas prise.

Avec un soupir exagérément exaspéré, je fais signe à Marielle de me suivre à la cuisine. Jean-Simon me regarde avec une question dans les yeux, je lui réponds en lui envoyant la main. Ça va, je peux me débrouiller seule. Mon unique défi sera de rester réveillée.

— Tu te doutes bien que Charles m'a annoncé votre rupture. Oh ce n'est pas lui qui a pris les devants, je lui téléphonais pour vous inviter tous les deux à souper dimanche prochain. J'ai bien senti qu'il y avait un problème. Il a fini par tout avouer. Je ne comprends pas ce qui s'est passé, Emma. Je croyais que vous étiez follement amoureux. Ça n'a pas de sens.

Elle s'attend à quoi? Que je lui explique, vraiment? Que je lui raconte que je suis trop peureuse et immature pour m'embarquer dans une merveilleuse relation avec un homme extraordinaire? Que j'ai une trouille énorme d'avoir des bébés? Que j'aime assez Charles pour lui laisser la chance de se trouver une gentille fille normale qui n'a pas le cerveau dérangé?

OK, je vais le lui dire, alors. Ou plutôt le lui crier; ça sort comme un torrent, avec une violence telle que Marielle recule d'un pas.

Puis, je m'effondre.

C'est le moment que choisit son défunt époux pour me rendre visite.

— Marielle? Louis-Joseph vous demande de me prendre dans vos bras et de me consoler. Et ensuite de me foutre la paix.

JEAN-SIMON

SAMEDI 27 AVRIL
Oignons

Je suis encore là. Emma ne le sait pas ; je me suis assis dans l'escalier devant sa porte d'entrée que j'ai laissée entrouverte pour entendre leur conversation. Pas de grande surprise. Le seul bout qui me manque, c'est la réaction de Charles. À sa place, je me serais battu. Une fille comme Emma, ça ne se trouve pas à tous les coins de rue.

Marielle, pour une fois, a décidé d'écouter son mari. Elle est à peine étonnée de me voir lorsqu'elle quitte l'appartement.

— Jean-Simon, vous êtes l'ami d'Emma, n'est-ce pas ?

— Oui.

— Sa relation avec mon fils était la meilleure chose qui pouvait lui arriver.

— Meilleure chose pour qui, Emma ou Charles ?

— Les deux. Parlez-lui, s'il vous plaît.

Parlez-lui, parlez-lui… pour dire quoi, au juste ? Emma n'en fait toujours qu'à sa tête de toute façon. Et puis, je ne suis pas certain que j'approuve une relation qui transforme mon amie en vraie fille, avec cœurs dans les yeux, soupirs de contentement spontanés et visites un peu trop fréquentes de la lune.

Je prends quand même mon courage à deux mains et entre dans l'appartement pour affronter le déluge. Emma est recroquevillée sur la causeuse, assoupie. Je lui donne une heure, et je la réveille.

EMMA

Détruisons la planète

— Jean-Simon, laisse-moi tranquille, arrête de me brasser !

— Allez, hop ! Assez dormi, la princesse !

— Noooon ! Encore cinq minutes, s'il te plaît !

— D'accord, juste le temps que je te prépare un café qui détruit la planète.

Je ris malgré moi. Jean-Simon ne comprend pas qu'une personne comme moi, qui se préoccupe raisonnablement de l'environnement, accepte d'utiliser une cafetière à capsules. Du gros plastique sale qui ne se recycle pas. À ma défense, je l'ai reçue en cadeau il y a quelques mois, et elle ne sert que pour les occasions spéciales, ou pour les moments difficiles. L'espresso allongé, à la fois fort et onctueux, m'apporte toujours un grand réconfort et me fait sourire à tout coup.

— Ça va mieux ? me demande Jean-Simon, visiblement satisfait d'avoir réussi à me remonter légèrement le moral.

— Oui.

— Veux-tu en parler ?

— Pas vraiment.

— Ce n'est pas terrible, ton affaire.

— Hein ?

— Tu l'aimes, il t'aime, réglez vos problèmes. Me semble que ce n'est pas compliqué.

— Ceci venant de monsieur-six-mois-c'est-mon-record ?

— Penses-tu que tu me l'apprends, que je ne suis pas un exemple à suivre ? As-tu idée à quel point je me sens con de ne pas réussir à rencontrer la bonne fille pour moi? Et quand je la trouve, de ne pas être capable de lui dire comment je me sens, de ne pas arriver à m'investir au lieu de prendre mes jambes à mon cou? Je comprends tellement ce que tu viens de faire, j'aurais agi exactement de la même façon. Mais justement, t'es censée être plus mature que moi émotivement. T'as fait une erreur, reconnais-le, et dis à Charles que tu veux reprendre.

— Comme s'il allait accepter de me parler.

— T'es complètement en déni. Il n'attend que ça, le pauvre.

— Ce que tu ne saisis pas, c'est que c'était sa décision à lui aussi.

— Ben oui, toi.

— Comme ça, ta famille est dans la police?

— T'es vraiment poche, tu sais.

— Je sais. Maintenant, raconte-moi ce que le sergent Bouffard avait à dire sur la mort de Marie.

Après un profond soupir de découragement, Jean-Simon accepte de changer de sujet. Le policier s'était montré surpris, toutefois pas autant qu'on aurait pu le croire. Il avait promis à Jean-Simon de le rappeler une fois qu'il aurait mis la main sur de nouvelles informations. Nous ne savions toujours pas comment était survenue la mort de Marie.

Zut, je dois annoncer la nouvelle à Anne. Elle n'est pas chez elle, j'essaie son cellulaire.

— Emma! Justement, je suis en train de magasiner des rideaux pour la nouvelle maison.

— Vous avez acheté?!

— Mais non, pas encore, tu aurais été la première à l'apprendre! Je veux seulement prendre un peu d'avance et faire du repérage, c'est tout.

— Peux-tu arrêter me voir en arrivant chez toi?

— Je n'aime pas le ton de ta voix, ça s'est mal passé hier soir?

— Je te raconterai. Allez, je t'attends.

Je raccroche avant qu'elle ne pose trop de questions. Il faut que je me prépare mentalement ; je refuse de m'effondrer à nouveau, surtout que je sais déjà ce qu'elle va me dire au sujet de Charles. Comme je n'ai pas envie qu'Anne et Jean-Simon se liguent contre moi, je fous le détective à la porte.

JEAN-SIMON

Et re-re-re-bip

Bon, là, c'est assez, les histoires sentimentales. Je fais des efforts, je pose des questions pour maintenir l'illusion que je suis un être vaguement humain, mais il ne faut pas trop m'en demander non plus.

Je dois me replonger dans l'enquête, ça presse.

Louis le pharmacien m'a téléphoné pendant que je tentais de consoler Emma. Je le rappelle et, ô miracle, il répond immédiatement!

— Louis Ladouceur.

— Bonjour, ici Jean-Simon Pellerin. Je suis désolé de vous avoir harcelé, j'ai vraiment besoin de vous parler.

— Je vous écoute.

— Avant tout, contrairement à ce que vous penserez sans doute après m'avoir entendu, sachez que je suis sain d'esprit.

— Bon à savoir. Allez-y.

C'était moins difficile que je ne l'aurais cru. Non seulement il ne m'a pas raccroché la ligne au nez, mais il a aussi accepté sans discuter le rendez-vous avec Emma et les autres petits-enfants. Il m'a simplement demandé de confirmer quelques jours d'avance, puisqu'il devra venir de Québec. J'ai décidé à la dernière minute de ne pas lui demander s'il avait les coordonnées des cousins manquants. À sa place, je ne communiquerais jamais le numéro d'un membre de ma famille à un inconnu. Il va falloir que je mette mon scénario à jour.

Au moins la glace est brisée, je suis prêt pour le prochain ! Soudain foudroyé par un optimisme contre nature, je m'apprête à annoncer la bonne nouvelle à Emma lorsque mon téléphone sonne à nouveau. Indicatif régional 709. Terre-Neuve ? Daniel rappelle enfin !

— Monsieur Pellerin ? Ici la secrétaire de Daniel Ladouceur, me dit une femme au fort accent anglais. Je m'excuse de vous déranger un samedi, ma question va vous sembler étrange, mais je sais que vous tentiez de joindre mon patron. Avez-vous eu de ses nouvelles ? Je commence à être inquiète…

EMMA

En pleine face

Jean-Simon parti, je passe l'heure suivante à respirer à grands coups, à me forcer à sourire et à penser à des choses joyeuses. Je m'installe même devant mon ordinateur pour regarder des vidéos de gens qui se plantent. C'est terrible, mais ça me fait rire. Tout pour ne pas réfléchir et ne pas laisser les larmes m'envahir de nouveau. Et ça fonctionne, jusqu'au moment où Anne se présente à la porte ; dès que je la vois, je m'écroule.

— Raconte-moi tout.

— J'ai deux mauvaises nouvelles. Je commence par la plus importante : Marie-la-pie-hi-hi est morte.

— Hein ? ? Quoi ? Comment ?

— Je n'en sais pas plus, c'est sa fille qui l'a dit à Jean-Simon quand il a essayé de la recruter pour parler à Margaret. Le sergent Bouffard est sur le cas, il nous rappelle dès qu'il se sera renseigné.

— Oh j'ai de la peine ! Je l'aimais bien, moi, Marie !

— Tu as passé du temps avec elle, en plus, il y a comme un attachement.

— Oui. Oh. Je ne sais pas quoi faire avec cette information-là, je suis toute désemparée.

— Veux-tu un café ?

Je laisse à Anne un moment pour digérer la nouvelle pendant que je nous prépare deux cafés pas fins, mais qui font du bien. Je déteste quand mon amie a de la peine.

— Tu aimerais que je te change les idées ?

— Avec ta deuxième mauvaise nouvelle? Vas-y donc.

— Je n'ai pas réussi à regarder vers le sud. C'est fini avec Charles.

— Oh non! Raconte!

— Je lui ai dit que je voulais qu'on discute; j'ai commencé par lui parler de moi, de ma façon de concevoir la vie, de gérer mes angoisses. Je faisais ça comme une grande, avec humour et détachement, puis tout s'est mis à débouler. Dès que j'ai touché le cœur du sujet, je suis devenue incohérente et hystérique. T'aurais dû me voir, je bégayais, je pleurais, mon cerveau pensait une chose et ma bouche en disait une autre, c'était absolument ridicule. Pauvre Charles, il essayait vraiment de suivre, je voyais qu'il avait des questions plein la tête, pourtant je refusais de le laisser parler. Mon monologue incontrôlable a duré plusieurs minutes, puis les derniers mots qui sont sortis ont été «la fin».

— Quoi ça, «la fin»? De ton discours ou de votre relation?

— Ben c'est ça, l'affaire. Je pense que je parlais de mon discours, et Charles a conclu que je parlais de nous. Il s'est levé et il est parti.

— Tu n'as pas essayé de le retenir?!

— Non. J'étais comme paralysée.

— Mais que vous êtes cons, tous les deux!!

JEAN-SIMON

Ami ami

— Je pars pour Miami.

— Ben là, ne reste pas dans la porte comme ça, entre ! m'intime Emma.

— Ça fait deux jours que j'essaie de te téléphoner, tu filtres, maintenant ?

— Ce n'est pas vraiment un filtre quand on n'accepte aucun appel, c'est plus comme un mur de béton.

— À ce point-là ?

— Oui.

Sous-entendu dans ce simple « oui » : ne me pose pas de questions. Alors je reviens au sujet de ma visite, soit mon voyage à Miami.

— Jane, la fille de Linette qui est urgentologue, a fini par me laisser un message hier soir. En gros, ça disait : « Foutez-moi la paix ». Toutefois, ça m'a permis de voir qu'elle appelait de Miami, sans doute de chez ses parents. J'ai assez perdu de temps comme ça, il faut que ça avance si je veux pouvoir retourner à ma vie et à mes clients rentables.

— Tu vas te payer un voyage de ta poche, monsieur l'économe ?

— Oui, madame la baveuse.

— T'as déjà réservé ton billet d'avion et ton hôtel ?

— Pas encore, je fais ça dès que je suis chez moi.

— Je viens avec toi.

— Chez moi ?

— Non, à Miami.

EMMA

Tout ça pour ça ?

Oui, je m'accorde une fuite en bonne et due forme. Un petit intermède floridien me fera énormément de bien, surtout que l'océan m'a toujours apporté calme, réconfort et zénitude dans mes moments les plus difficiles.

Le problème lorsqu'on réserve seulement deux jours d'avance, c'est qu'on ne peut pas se permettre de choisir. C'est pourquoi nous devons nous résigner à un déplacement de sept heures, parce qu'il ne reste plus de vols directs de trois heures. Départ à une heure matinale indécente, escale à Atlanta, où l'aéroport est si grand qu'il faut utiliser un métro pour aller d'un terminal à l'autre, avion bondé vers Miami. Je me retrouve assise entre deux gros qui débordent sur mon siège (désolée, ce n'est pas gentil, je suis à bout de patience), pendant que Jean-Simon se tape une maman et son enfant pleurnichard, en plus de la traditionnelle crise d'angoisse silencieuse de l'homme qui a peur de voler. L'hôtel, qui sur Internet avait l'air tout à fait respectable, s'avère légèrement délabré. Avec ses couleurs fades et ses larges couloirs éclairés au néon, il ressemble plus à un vieil hôpital qu'à autre chose. Soyons positifs : l'employé à la réception nous prend en pitié et nous offre deux chambres avec balcon sur la mer.

Et avec tout ça, j'ai dû utiliser l'argent d'Alexandre.

Fin de mon affirmation, je n'ai pas envie de m'étendre sur le sujet. Oui c'est un gros pas de franchi, oui c'est comme si je tournais une page importante de ma vie. Cependant, je ne vais pas fuir une peine sentimentale pour la remplacer par une autre. Chaque chose en son temps, je procéderai à la résolution de mes deux deuils quand je serai vraiment prête à leur faire face.

Je ne suis qu'une buveuse « sociale », et encore là, en très petites quantités. Mais l'air marin est pour moi synonyme de bière vers quinze heures. Pas quatorze, pas seize : quinze pile. C'est probablement le seul et unique moment où je peux comprendre les alcooliques : cette bière, il me la faut. Et je ne peux me concentrer sur rien d'autre tant que je n'avale pas ma première gorgée, alors Jane attendra.

Jean-Simon, qui n'en revient pas de me voir boire à une heure aussi indigne, se joint à moi au bar de la piscine. Il ne perd pas de temps pour attaquer.

— Tu veux discuter de ce qui s'est passé avec Charles ?

— Non. Je préfère planifier ce qu'on va dire à Jane.

— Pourquoi ce besoin d'établir une stratégie ?

— Parce qu'il sera nécessaire d'arriver avec des arguments massue. La madame refuse de nous parler, elle est venue ici pour s'éloigner de ses problèmes et se reposer. La dernière chose qui l'intéressera, c'est de nous accompagner à Montréal.

— Excellente analyse de la situation, Watson.

— Merci, Sherlock.

— On utilisera l'angle de la peur ? Après tout, deux membres de sa famille ont été assassinés.

— Personne n'a confirmé que la mort de Marie n'était pas naturelle !

— Peut-être pas, mais ça ajoute du poids à nos arguments.

— D'accord, en dernier recours. Je miserais davantage sur l'amour de Jane pour sa grand-maman. On y va ?

La résidence des parents de Jane est située à cinq minutes de notre hôtel, sur une étrange île où les rues portent des noms français : Marseille, Vendôme, Calais, Bordeaux, Notre-Dame.

Nous repérons la petite maison typiquement floridienne et marchons vers la porte. La seule chose que nous aurions vraiment dû prévoir dans notre plan d'attaque, c'est que Jane refuserait toujours de nous parler. Il faut comprendre qu'elle a sans doute pensé avoir affaire à des moyens dérangés ; lorsqu'elle s'est obstinée à ne pas répondre à nos coups de sonnette répétés, nous avons été pris de panique à l'idée d'être arrivés trop tard, c'est-à-dire après l'assassin. Deux hystériques frappant à quatre poings sur une porte, ça mène tout un boucan. Sans doute à bout de patience, Jane finit par l'entrouvrir sans retirer la chaîne de sécurité. Je la comprends.

Jean-Simon prend son ton le plus gentil et apaisant pour la rassurer.

— Jane, c'est moi qui vous ai téléphoné à quelques reprises. Je suis Jean-Simon Pellerin, détective privé, et voici ma partenaire, Emma. Nous devons absolument vous parler de votre grand-mère et de quelques événements survenus dans votre famille.

— Vous vous êtes déplacés pour rien. Je vous donne une minute pour partir, sinon j'appelle la police.

— Votre vie est peut-être en danger, il faut…

— Il vous reste cinquante secondes.

— Jane, s'il vous plaît, vous ne comprenez pas à quel point la situation est grave, nous…

— Trente secondes. Vous feriez mieux de commencer à courir.

Et elle claque la porte.

Jean-Simon glisse sa carte dans la fente pour le courrier et crie : « Nous sommes à Miami pour deux jours, je vous en prie, appelez-moi sur mon cellulaire ». Puis, nous courons.

Difficile de croire que nous avons fait le voyage pour rien, mais il faut avouer que nous sommes plutôt à court d'arguments. Voyons ce qu'une bonne nuit de sommeil apportera de nouveau.

JEAN-SIMON

Lot Havana

Je comprends mieux maintenant pourquoi tout le monde dit que Miami, c'est un peu beaucoup Cuba. Je savais qu'il y avait un *Little Havana*, mais de mon point de vue, c'est plutôt un *Lot Havana*. Depuis que nous sommes arrivés, j'ai entendu parler espagnol autant que pendant mon récent voyage à Cancún, sinon plus. La différence, c'est qu'à mon hôtel mexicain, les employés nous saluaient en anglais. Ici, ça se fait en espagnol. C'est le monde à l'envers. Même la serveuse du café au rez-de-chaussée de l'hôtel ne m'a pas compris quand j'ai demandé, en anglais, une bouteille d'eau avec mon espresso. Au moment de payer, elle a d'ailleurs dû me montrer le reçu de caisse parce qu'elle ne pouvait pas me dire le prix en anglais. Ne vous méprenez pas, elle était très aimable et visiblement mal à l'aise de ne pas pouvoir communiquer avec moi. Je blâme surtout ici ses patrons, qui pourraient au moins lui enseigner un minimum fonctionnel d'anglais lui permettant d'échanger quelques mots avec sa clientèle touristique. Je ne connais absolument rien à la politique locale, je me demande bien s'ils ont des débats linguistiques similaires aux nôtres.

Je fais part de mes réflexions à Emma alors que nous marchons sur la plage.

— Mais elle était si gentille ! argumente-t-elle.

— Bien sûr, qu'elle était gentille, là n'est pas la question ! Ah pis j'en ai marre des attitudes comme la tienne ! Pas moyen de faire un commentaire constructif sans se faire traiter de raciste !

— Je n'ai pas dit que…

— Tu l'as pensé, c'était évident! Typiquement québécois. Ou devrais-je dire, typiquement montréalais. On ne peut pas faire la moindre allusion douce et subtile à l'idée qu'il faudrait peut-être que les immigrants s'adaptent un tant soit peu à notre culture sans se faire accuser d'être bourré de préjugés, fermé, raciste et…

Emma m'interrompt en levant la main.

— Jean-Simon? Ta gueule. Je ne comprends pas pourquoi tu t'emportes de même. J'ai juste mentionné qu'elle était gentille. T'as envie d'avoir un débat sur le multiculturalisme québécois et sur l'immigration? J'embarque. Mais si en partant tu me prêtes des opinions que je n'ai pas exprimées et qui vont teinter toute la discussion, je décroche.

— Aaah, tu sais bien ce que je voulais dire, je…

— Non. Moi aussi je suis tannée de quelque chose : les gens pour qui tout est noir ou blanc et qui refusent de voir que les autres peuvent avoir une pensée nuancée qu'il serait intéressant d'écouter.

— Et je suis comme ça, moi?

— Pour toi, tout est noir charbon, point. Voilà, je viens encore de nuancer. As-tu réussi à suivre?

— Emma? Va chier.

EMMA

JEUDI 2 MAI
Seule sur le saaaable,
les yeux dans l'eeeaaauuu...

Après notre discussion mouvementée, Jean-Simon m'a plantée là. Ou plutôt, il s'est dirigé vers l'hôtel, et je ne l'ai pas suivi. Nous avons l'habitude des engueulades, mais celle-ci s'est envenimée beaucoup plus rapidement que les autres. Le stress doit y être pour quelque chose.

La différence entre nous deux, c'est que je ne suis absolument pas fâchée, alors que lui risque de bouder pendant quelques heures. OK, mon chou, amuse-toi à broyer du noir, moi je poursuis ma balade.

Charles me manque.

Assise en indien sur le sable, je laisse mon esprit vagabonder vers lui pour la première fois depuis ma petite dépression post-rupture. Et ça fait terriblement mal. Sauf qu'il le faut, et que je préfère que ça arrive pendant que je suis bercée par le son de l'océan, plutôt qu'une fois seule chez moi, ou pire, seule dans une chambre d'hôtel anonyme.

JEAN-SIMON

Enfin. Fois deux.

Assis au bar de la piscine, je reçois, grosse surprise, un texto de Jane. «Je suis prête à vous écouter». Je lui demande quand, elle répond : «Quand vous voulez, je ne bouge pas d'ici. Faites vite, j'ai peur».

Je vais devoir ignorer ma contrariété et faire signe à Emma. «Jane m'a texté, rejoins-moi au bar».

Trente secondes à peine se sont écoulées : Emma apparaît, les yeux rougis par les larmes.

— J'arrivais quand tu m'as envoyé le message.

— C'est moi qui t'ai mise dans cet état?

— Mais non, idiot, j'ai fait ça toute seule comme une grande. *Vamos, dame un abrazo*[1].

— Comment on dit «baveuse» en espagnol?

Une réconciliation comme je les aime, pas d'explication nécessaire. Ma bonne humeur (relative) revient comme par enchantement.

Moins de cinq minutes plus tard, un taxi nous dépose devant la maison des parents de Jane, qui nous attend à la fenêtre, à moitié dissimulée derrière un rideau. Elle ouvre la porte et nous fait signe d'entrer rapidement. Elle ne s'embarrasse pas de préambules.

---

1. Allez, donne-moi un gros câlin.

— Quelqu'un a tenté de s'introduire chez moi par effraction, un voisin l'a vu essayer de forcer une fenêtre sur le côté de la maison. L'intrus est parti en courant quand le voisin s'est mis à crier, et j'ai peur qu'il revienne. Je suis prête à vous écouter.

C'est nettement plus agréable de lui parler face à face, assis dans le salon, que de s'adresser à une moitié de tête coincée entre la porte et le cadre de porte. Pendant qu'Emma lui explique qui nous sommes, je prends quelques secondes pour observer Jane. Cheveux châtains mi-longs et très droits, visage triangulaire, yeux noisette empreints de tristesse, il y a chez elle un certain... un soupçon de... hum. Je l'avais remarqué sur les photos, mais en personne, elle est... décidément très séduisante.

— Jean-Simon ?

— Hein ?

— Jane te demande si tu veux boire quelque chose.

— Euh, non merci, c'est gentil.

Est-ce que la rougeur qui envahit mes joues est visible ? Un vrai collégien. Lorsque Jane prend à nouveau la parole, je fais un effort pour l'écouter religieusement.

— Je tiens à m'excuser pour mon attitude d'hier. Vous avez dû me trouver bien étrange. Il faut que vous compreniez, ma famille n'est pas de tout repos. Depuis que je suis ici, ils m'ont tous téléphoné plusieurs fois à tour de rôle, soit pour me demander si j'étais encore fatiguée, soit pour me dire que je devrais revenir à Montréal pour la fête de l'un ou de l'autre, ou même pour voir s'ils pouvaient venir passer leurs vacances avec moi. J'ai bien dû recevoir cinq appels par jour. Ils sont gentils, mais ne comprennent pas qu'une dépression, ça ne se guérit pas en quelques jours, et que j'ai besoin de mon espace pour y arriver. Ça fait au-dessus d'une semaine que je ne réponds plus au téléphone. Alors quand vous vous êtes mis de la partie vous aussi, et que vous êtes apparus à ma porte, j'en ai eu assez. Cependant, après l'événement de cette nuit, je vous jure que vous avez toute mon attention.

— Avez-vous téléphoné à la police à ce sujet ? demande Emma.

— Bien sûr. Deux policiers sont venus écouter ma déposition et celle de mon voisin, mais comme ni l'un ni l'autre n'avons pu leur donner de description claire de l'intrus, je n'ai pas grand espoir.

— Je vous comprends d'être inquiète et, malheureusement, vous le serez probablement encore plus lorsque nous aurons terminé de vous expliquer ce qui nous amène. Jean-Simon, tu veux bien… Jean-Simon ? T'es là ?

Oui, non. Encore une fois pris en flagrant délit de béatitude devant Jane. Qu'est-ce qui m'arrive, bordel ? !

EMMA

Beau de voir ça

Impressionnant de voir avec quelle clarté on peut déceler la naissance d'un amour quand on vient d'anéantir le sien, non? Le détecteux ne le sait pas encore, mais il est en train de s'éprendre de Jane. Ce n'est même pas gros, c'est immense! Elle lui fait perdre tous ses moyens, je ne l'ai jamais vu comme ça. Jane n'a sans doute rien remarqué; elle ne connaît pas Jean-Simon autrement que pâmé devant elle, et elle est trop préoccupée. Apprendre que deux membres de sa famille sont décédés en quelques jours secouerait n'importe qui, mais lorsqu'on souffre en plus d'un épuisement professionnel, disons que le choc est décuplé. Elle s'est résignée à communiquer avec ses proches, et on l'a informée que les funérailles de Cassandra avaient été légèrement retardées pour pouvoir faire d'une pierre tombale deux coups. Marie-la-pie-hi-hi sera exposée et enterrée au même moment.

Jane a réussi à obtenir un billet pour Montréal sur le même vol que nous, quelques rangées plus loin. Je me sens l'âme charitable aujourd'hui et je lui propose d'occuper mon siège. Je suis fatiguée, j'ai envie d'écouter de la musique tranquille, vraiment, j'insiste. Jean-Simon me fixe en plissant les yeux, signe qu'il se doute de quelque chose, mais s'abstient de commenter ou de me questionner. Penser à *frencher* sa voisine lui enlèvera peut-être sa frousse de voler.

Le désavantage pour moi, c'est que ça me donne quelques heures pour réfléchir, ce qui n'est pas nécessairement une bonne idée.

Lorsque je suis dans un avion, j'ai l'habitude d'écouter un film ou de la musique pour que les esprits souhaitant parler à mes compagnons de cabine ne me prennent pas d'assaut. Pas de cinéma sur ce vol de Delta Airlines, et en ce moment, la musique ne suffira pas à empêcher les pensées bouleversantes de s'immiscer dans mon cerveau. Alors, d'accord, cette fois seulement, je laisse les portes ouvertes aux visiteurs de l'au-delà. Mes voisins n'ont qu'à bien se tenir.

Eh toi, là-bas, de l'autre côté de l'allée ! As-tu envie d'en pleurer un bon coup ? Tes parents aimeraient te dire deux mots !

Mais non, pas comme ça. Plus gentiment, quand même.

Allez, les esprits, je vous attends ! Allô ? Quelqu'un ? Maintenant que je vous invite, vous décidez de jouer les timides ?

JEAN-SIMON

Oignons (bis)

J'arrive au Diable à Quatre avant lui, toujours surpris qu'il ait accepté de me rencontrer, encore plus surpris de mon initiative. Je n'ai pas l'habitude de m'immiscer dans les histoires des autres, mais cette fois c'est plus fort que moi. Emma est misérable et trop noyée dans sa morve pour voir qu'elle a pris une mauvaise décision.

Pour cette fois, je ne m'installe pas au bar. Je choisis plutôt une table où les hautes banquettes nous permettront d'avoir une certaine intimité. Située à quelques coins de rue de chez Emma, cette sympathique taverne est généralement assez tranquille les mardis soir.

— Salut, Jean-Simon.

— Salut, Charles, assois-toi.

— Ça m'étonne que tu m'aies contacté.

— Et moi donc. Merci d'avoir accepté de venir.

— Je me doute bien que tu veux me parler d'Emma, je t'écoute.

— Avant tout, il y a une chose que je dois savoir. Elle a dit que c'était ta décision à toi aussi. C'est vrai ?

Charles hésite quelques secondes, se demandant sans doute pourquoi il devrait se confier à un ami d'Emma. Excellente question.

Je réalise trop tard que je n'ai plus envie d'être là. J'ai agi sous le coup d'une impulsion. Je voulais tenter de le convaincre qu'il devait donner une chance à leur couple, mais cette idée me semble tout à coup ridicule. Et hypocrite. Je sens que ma motivation initiale, soit de faire plaisir à Emma, cache quelque chose de plus profond, je ne sais juste pas quoi. Charles se met à parler, je n'ai d'autre choix que de l'écouter.

— Je pouvais difficilement retenir Emma contre son gré, même si ce n'était pas ma décision. Je n'aime pas la voir malheureuse.

— Malheureuse ? T'es sérieux ?

— Depuis quelques semaines, je sentais qu'elle n'était plus aussi enjouée qu'avant, qu'elle était plus… neutre.

— Pas neutre, préoccupée. Grosse différence.

— Préoccupée par sa relation avec moi.

— Et ça mérite une rupture ?

— Non, bien sûr que non. J'ai bien essayé de la faire parler pour comprendre ce qui se passait, mais elle n'a pas su m'expliquer. Elle a préféré baisser les bras.

— Et ça t'a déçu, visiblement.

Bon, me voilà jouant au psychologue.

— Je croyais que notre relation était différente, ouverte et honnête. Je me suis trompé.

— Ben t'es aussi con qu'elle, mon vieux.

Vraiment ? C'est moi le plus mature des trois ?

— T'aurais fait quoi, à ma place ? Je ne peux pas la forcer à vouloir travailler sur notre couple !

— Parce que vous vous engueulez une fois, pendant une soirée, tu jettes tout à l'eau ? Je ne connais personne qui ne serait pas prêt à payer cher pour trouver une relation comme la vôtre. Les gens perdent un temps fou à…

Et me voilà lancé. Je m'arrête parfois pour prendre une désaltérante gorgée de bière, mais sinon, un flot ininterrompu de paroles sort de ma bouche sans que j'aie besoin de réfléchir. Le pauvre Charles se tape tous mes états d'âme de célibataire, toutes mes analyses sur les rapports hommes-femmes et, pour finir, mon évaluation complète de la peur de l'engagement dont est victime Emma. Je suis épuisé. Ça donne l'occasion à Charles de placer un mot.

— Tu l'aimes vraiment, Emma, hein?

— Qu'est-ce que tu veux dire par là?

— C'est clair que tu tiens vraiment à elle et à son bonheur pour vider ton sac devant quelqu'un que tu connais à peine.

— Ah, oui, ça. En effet.

— Merci, Jean-Simon. J'apprécie vraiment ton intervention.

— J'ai réussi à te convaincre?

EMMA

Psychologie + colocation = psycholocation

Jane a élu domicile chez moi. Ce n'est qu'une fois à l'extérieur de l'aéroport à Montréal, lorsque je lui ai demandé où elle habitait, qu'un voile de détresse s'est peint sur son visage.

— J'ai peur, a-t-elle dit.

— J'ai une chambre de trop, ai-je répondu.

— D'accord.

Aussi simple que ça, J'ai maintenant une colocataire. Et j'ai comme l'impression que Jean-Simon passera encore plus de temps chez moi, si c'est possible.

La compagnie me fera du bien. En plus, Jane pourrait avoir besoin d'une amie, et à force de côtoyer des endeuillés, je commence à disposer d'une certaine expérience avec les états dépressifs.

Je fais visiter l'appartement à Jane, l'aide à s'installer dans sa nouvelle chambre, puis je nous prépare une collation.

— Et toi, Emma, tu as quelqu'un dans ta vie?

Une seule question bien placée, et me voilà lancée. Mes amis ont suivi mon histoire avec Charles pratiquement depuis le début, et même si je ne leur ai pas tout raconté dans les détails, ils ont une idée générale de ce qui s'est passé. Jane, elle, ne sait rien du tout. Et comme je ne veux pas trop m'étendre sur le sujet, ça m'oblige à concocter un résumé clair et précis qui va du point A au point B. En évitant les détours, j'en arrive à exposer les événements avec une objectivité nouvelle, sans me perdre dans des accusations douteuses et des réflexions qui ne font que compliquer les choses. Plus j'avance dans mon récit, plus je me sens conne. Et aveugle.

— Emma, ça ne me regarde pas, mais es-tu certaine que ta conclusion est logique?

Piqué, mon cerveau s'offre un soubresaut de révolte. Je m'apprête à répliquer vertement, mais Jean-Simon choisit ce moment pour entrer chez moi sans cogner, une habitude qui commence à sérieusement m'agacer. Alors je l'ignore et réponds à Jane.

— Je suis peut-être illogique, mais as-tu pensé que si Charles a abdiqué si vite sans demander d'explications, c'est qu'il était d'accord?

— Non, je n'étais pas d'accord.

Je me tourne enfin vers le couloir, Jean-Simon est là, accoté contre le mur, un sourire narquois sur les lèvres. Charles est à côté de lui, pas souriant du tout.

JEAN-SIMON

Appelez-moi Cupidon

Jane a à peine levé les yeux vers moi avant de s'éclipser dans sa chambre pour laisser les amoureux en tête-à-tête. Le message était assez clair. Ma mission remplie, je retourne au Diable À Quatre et je m'achève à coups de whiskies bien tassés.

EMMA

L'occasion ne fait pas le larron

Difficile d'imaginer le chaos qui règne habituellement dans ma tête lorsque j'assiste à des funérailles : non seulement il y a quelques âmes éplorées qui errent dans le cimetière, mais la personne récemment décédée que je viens honorer trouve toujours plein de choses à dire à ses proches. Aujourd'hui, cependant, c'est le calme plat. Cassandra et Marie ont peut-être senti que je ne pourrais pas me mettre à interpeller tout le monde pendant que le prêtre s'époumone à raconter des bêtises sur la vie, la mort, le paradis et le péché. Vieux con, il en profite pour sermonner l'auditoire. Est-ce que j'ai déjà mentionné que j'avais un problème avec la religion ?

Je concentre mon attention sur Anne, qui pleure à chaudes larmes. Elle n'aura connu Marie-la-pie-hi-hi que brièvement, toutefois ça ne change pas grand-chose ; Anne sanglote systématiquement lorsqu'il est question de mort, de rendre hommage à quelqu'un, de faire ses adieux.

En comparaison, Jane fait montre d'un détachement surprenant. Je l'ai vue avaler quelques cachets avant de partir, ce n'était pas une mauvaise idée. Je crois qu'elle ne se sentait pas assez forte pour absorber la peine de sa famille.

Jean-Simon, Charles et Phil se tiennent à l'écart et observent la vingtaine de personnes présentes. Ils sont tous les trois convaincus que le meurtrier est parmi elles, et cherchent désespérément des indices sur les visages affligés.

L'occasion serait idéale pour mener l'enquête, mais pas les circonstances. J'ai fait promettre au détecteux de rester tranquille. Après lui avoir donné un mégacâlin pour le remercier de ce qu'il a fait en parlant à Charles.

Oh j'avoue que ma première réaction lorsque j'ai su qu'il s'était mêlé de mes oignons n'était pas des plus positives. J'avais l'impression d'être une enfant qui a besoin de l'intervention d'un enseignant pour se réconcilier avec son meilleur ami à la suite d'une chicane de cour d'école. Mais la conclusion est plus importante que l'humiliation : après des heures de discussion, de larmes et de confidences déchirantes, Charles et moi avons fait la paix. Plus que ça, nous avons réussi à prendre le tournant qui m'inquiétait tant. Et le petit doute qui s'était sournoisement immiscé dans mon cerveau a complètement disparu.

JEAN-SIMON

DIMANCHE 5 MAI
Pas un film

Je ne sais pas ce que j'espérais au juste. Je vois bien que mes attentes en venant aux funérailles étaient irréalistes. Tous les visages dégagent la même tristesse, la même incompréhension. Personne n'a évidemment un air triomphant ou sadique. Ça, c'est juste dans les films que ça arrive.

Je m'étais aussi bercé d'illusions quant à Jane. Je m'imaginais déjà la serrant dans mes bras pour la consoler. En l'observant maintenir ses parents, oncles, tantes, cousins et cousines à distance, je comprends que ce n'est pas du tout ce qu'elle souhaite, pas plus de moi que de personne d'autre.

Mais ce qui me dérange par-dessous tout, c'est que je vais devoir appliquer les freins sur l'enquête quelques jours, le temps que les proches se remettent un peu de leurs émotions.

Pour l'instant, tout ce que je peux faire, c'est prendre des clichés mentaux des gens qui assistent à la cérémonie. Je pourrai ensuite les comparer aux photos de la famille Ladouceur. Je veux savoir qui était présent, et surtout si Daniel, qui manque toujours à l'appel, était là.

De retour chez moi, j'écoute les messages sur mon répondeur. Il y en a un du sergent Bouffard.

« Pellerin ? Bouffard. J'ai le rapport d'autopsie de Marie Ladouceur. Empoisonnement elle aussi, même procédé que pour Cassandra Ladouceur. C'est un de ses fils qui l'a trouvée, assise dans son salon. Ça sent de plus en plus mauvais, toute cette histoire. »

Je pense plutôt qu'on a dépassé le stade du « sentir mauvais », et qu'on est entré de plain-pied dans le « ça pue tellement que je vais vomir ».

Je regarde les photos des photos pour la trentième fois, me fermant les yeux pour tenter de revoir la famille recueillie pendant la cérémonie.

L'exercice manque un peu de structure à mon goût.

Je barbouille une feuille blanche d'un croquis approximatif (et pathétique) des gens présents aux funérailles, selon leur place autour de la fosse. Ensuite, j'identifie les identifiables. Jane, évidemment. Bill, que Jean-Philippe m'a montré d'un doigt discret. Les jumeaux Al et Fred, qui entouraient une femme secouée de sanglots aux cheveux orange criard, sans doute leur sœur Maggie, la coiffeuse à qui j'ai déjà parlé. À force de déductions, et en me référant régulièrement aux clichés, j'en arrive à un portrait presque complet. J'ai beau fouiller, je mettrais ma main au feu que Daniel n'y était pas.

Je suis un idiot de première.

Qui pourrait m'aider à démêler tout ça? Jane, bordel! Pourquoi n'y ai-je pas pensé plus tôt? Malheureusement, je ne peux pas la déranger maintenant, je sais qu'elle participe à un souper de famille post-funérailles.

Bloqué dans mes recherches et victime d'un sérieux trop-plein d'énergie, il ne me reste qu'une option : m'attaquer, enfin, aux enquêtes auxquelles je devrais consacrer mon attention depuis maintenant presque deux semaines. J'ai au moins eu la décence d'aviser les trois clients que je m'occuperais d'eux un peu plus tard. Le premier m'a raccroché la ligne au nez, le deuxième s'est pratiquement excusé d'exister et a dit qu'il attendrait de mes nouvelles, et la troisième a à peine réagi, mais s'est montrée compréhensive. C'est avec elle que je décide de communiquer en premier, celle qui a un mari nerveux.

— Bonsoir, ici Jean-Simon Pellerin, détective.

— Oh, bonsoir. Donnez-moi un instant, je vais trouver un coin tranquille.

Son mari doit être dans les parages.

— En fait, monsieur Pellerin, est-ce que je pourrais vous rappeler ? Je suis dans un souper de famille, nous venons d'assister à des funérailles. Ma belle-sœur et ma nièce sont toutes deux décédées dans les dernières semaines.

EMMA

Luni Green s'en mêle

— Je veux bien, les coïncidences, mais celle-là est vraiment forte, non?

Jean-Simon s'emporte, et moi je le laisse s'emporter tout seul dans ma cuisine depuis cinq minutes.

— Le pire, c'est que quand elle a mentionné le mot funérailles, j'ai compris tout de suite, fouille-moi pourquoi. C'est quoi les probabilités que ce genre de truc arrive? La population de la grande région de Montréal est de quoi, trois ou quatre millions d'habitants?

— Anne te répondrait que c'est une blague de Luni Green.

— Qui?

— C'est comme ça qu'elle appelle l'univers quand elle a une demande à lui faire.

— Bon bon bon, tu vas me dire que c'est « l'univers » qui a orchestré tout ça? Il a décidé de m'impliquer dans une histoire de famille, puis il a eu peur que je me perde, alors il s'est assuré que je puisse y arriver par deux chemins différents? N'importe quoi!

Compréhensible comme réaction. L'univers en tant qu'entité ayant un impact direct sur nos vies est un concept que j'ai du mal à saisir moi aussi. Je sais qu'il y a tout plein de captivantes théories là-dessus, et certaines semblent logiques, cependant ça reste plutôt abstrait dans mon cerveau. Je ne peux pas dire que j'y crois, je ne peux pas dire que je n'y crois pas non plus. Considérant que je donne dans le wou-wou paranormal, ça peut sembler étonnant. En même temps, ce n'est pas parce que j'accepte la présence des esprits que je dois adhérer à toutes les croyances ésotériques ou religieuses. Oui à un au-delà, dans le sens d'endroit où se retrouvent les morts, oui à la réincarnation, non à l'astrologie ou à un être suprême unique qui gère tout de là-haut. En fait, je suis drôlement plus encline à admettre l'existence de Luni Green que celle de Dieu. Quelqu'un m'a déjà sermonnée : « Mais voyons ! Tu ne peux pas croire aux esprits sans admettre l'existence de Dieu ! ». Euh… oui, je peux.

Je reporte mon attention sur Jean-Simon, qui n'a pas encore fini de s'énerver.

— … en tout cas, ça donne des envies d'y voir une conspiration.

— Calme-toi, mon chou. Veux-tu une tisane ?

— Tu n'as pas quelque chose de plus fort ?

— Y est onze heures du matin, grand zouf. Alors, c'est quoi, la prochaine étape ?

— J'attends qu'elle me rappelle.

— D'ailleurs, c'est qui « elle » ? Elle t'avait bien laissé son nom ?

— Elle ne s'était présentée que comme « Cathy ». J'en déduis que c'est Catherine Gagnon, la femme de Bill, celui qui a rencontré Anne et Jean-Philippe avec Marie.

— As-tu vérifié les photos des photos depuis que tu sais qui est ta cliente ?

— Oui, tu veux voir ?

Oh le formidable cliché (dans tous les sens du terme) ! Classique pose Sears des années quatre-vingt, papa et maman à l'arrière-plan, une main sur l'épaule du fiston qui se trouve directement devant eux, le troisième fils assis au centre, le menton accoté sur ses poings fermés. Une deuxième photo montre Catherine et Bill pendant un souper d'anniversaire, inconscients que l'appareil s'apprête à les croquer sur le vif, trop absorbés par le regard de l'autre. Amour, complicité, bonheur. Je ne sais pas à quel moment cette scène a été prise, mais rien ne laisse présager, sur cette image, que Catherine ferait plus tard appel à un détective privé pour surveiller son mari-qui-a-l'air-nerveux… ou que William pourrait avoir des raisons d'être anxieux.

Difficile de ne pas spéculer sur la raison de cette agitation.

— Penses-tu ce que je pense, le détecteux?

— Que Bill est nerveux parce qu'il est le meurtrier? Ça semble une conclusion logique, et c'est justement pour ça que je m'en méfie.

JEAN-SIMON

Des William et des Bill

Jane choisit ce moment pour rentrer de sa promenade quotidienne au marché Atwater. Emma et moi nous taisons, hésitant à la mêler à une discussion sur le potentiel meurtrier de deux membres de sa famille.

— J'ai tes William Suisse, Emma.

— Les meilleures saucisses sur la terre ! Vous en voulez tout de suite ? Je meurs de faim.

— Avec une baguette encore chaude, des fromages et du raisin, ce sera parfait ! Laisse-moi juste finir de ranger mes achats, ensuite on se préparera une bonne petite collation.

Je les observe pendant qu'elles échangent sur douze raisons différentes de trouver le marché Atwater formidable. Emma m'impressionnera toujours avec sa facilité à développer une complicité instantanée avec à peu près n'importe qui, même une jeune femme dépressive et renfermée. Au contact d'Emma, Jane semble reprendre vie. J'aimerais avoir ce genre d'effet sur elle.

Pellerin, sors-toi ça de la tête maintenant.

J'interromps leur conversation.

— Jane, te sentirais-tu d'attaque pour me donner un coup de main pendant qu'Emma fait cuire les meilleures saucisses sur la terre ?

— Bien sûr, qu'est-ce que je peux faire pour toi ?

— M'aider à identifier les gens qui étaient aux funérailles.

— Je ne les connaissais pas tous, je t'avertis tout de suite.

— Pas grave, c'est déjà mieux que moi.

Tous deux penchés côte à côte au-dessus de mon dessin et des photos des photos, je perçois un courant électrique qui passe entre Jane et moi. Mais je suis peut-être le seul.

Quelques minutes suffisent pour que les personnages de mon croquis soient pratiquement tous identifiés, sauf cinq individus en périphérie de l'attroupement. Jane ne se souvient pas de les avoir déjà vus auparavant. Sans doute des voisins de Marie ou des collègues de Cassandra, nous ne le saurons probablement jamais.

Je remarque soudain la mine consternée de Jane.

— C'est difficile de regarder les photos?

— Évidemment. Elles ont toutes été prises avant que ces malheurs ne s'abattent sur ma famille. Je contemple tous ces sourires, et je ne peux m'empêcher de penser que nous étions bien naïfs d'être aussi heureux. Observe le visage de mon oncle Bill, ici, et compare-le avec celui que tu as vu aux funérailles. Il est transformé.

— Comme tout le monde, vraisemblablement…

— Oui, mais lui devait être particulièrement secoué, la dernière conversation qu'il a eue avec Cassandra a mal tourné.

— Explique?

— Je ne sais pas trop comment ça a commencé, mais nous étions tous réunis chez ma tante Isabella après la lecture du testament de ma grand-mère. Tout ce que je sais, c'est que je suis entrée dans le salon pendant que William, Catherine et Cassandra parlaient de la vente de la maison. Il y avait déjà beaucoup de tension dans l'air. Quand Cassandra a demandé à Bill pourquoi il était si pressé de vendre, insinuant qu'il nous cachait quelque chose, mon oncle a complètement sauté une coche et s'est mis à l'engueuler. Elle et moi n'avons jamais été très proches, sauf que je déteste l'intimidation, alors j'ai pris sa défense. En moins de deux, tout le monde dans la pièce hurlait, c'était complètement ridicule. Ma tante Marie a dû nous entendre, elle est entrée dans la pièce avec sa petite voix douce et a simplement répété : « Margaret ne serait pas trop fière de voir ça » jusqu'à ce que nous nous taisions. Le dernier cri a été celui de Bill « Je vais m'en souvenir de celle-là, Cassandra ». Il doit tellement se sentir mal d'avoir crié ça, le pauvre.

Jane n'a aucune idée de ce qu'elle vient de révéler.

Je me tourne à nouveau vers le croquis pour qu'elle ne voie pas mon expression. Il ne me reste qu'une question.

— Ton cousin Daniel n'y était pas ?

— Non, il paraît qu'il était pris à St. John's et ne pouvait pas venir.

— Qui t'a dit ça ?

— Mon oncle Bill.

Emma et moi échangeons un regard discret. Je veux bien donner le bénéfice du doute au pharmacien, mais s'il est innocent, il ne s'aide vraiment pas. En plus, Daniel est son fils, bordel. Il n'irait quand même pas jusqu'à supprimer sa propre progéniture, non ?

EMMA

Futur party dans ma tête

Jane s'étant éclipsée pour une sieste, nous pouvons discuter plus librement de ce qui se passe. Jean-Simon a l'air découragé, je dois sans doute avoir une expression similaire.

— Je commence à me sentir sérieusement dépassée par les événements.

— J'ai le même sentiment. Des petits cas de disparitions ou de filatures, je veux bien. Ici, on parle de meurtres, et je suis hors de mon élément. Surtout que j'ai vraiment l'impression qu'on approche de la vérité, et les ramifications m'inquiètent. J'ai une forte envie de tout abandonner.

J'y ai pensé moi aussi. Cependant, l'obligation morale qui me lie à Margaret serait difficile à ignorer. C'est plus fort que moi, je me sens responsable. Je n'ai jamais laissé tomber un esprit qui demandait mon aide, hors de question que je commence à le faire aujourd'hui juste parce que la trouille m'envahit. Et puis, j'ai deux mots à dire à Margaret : les membres de sa famille tombent comme des mouches, elle ne va quand même pas rester impassible sous prétexte que ses petits-enfants ne sont pas tous réunis pour qu'elle puisse leur faire une grande révélation dramatique ! Je serais incapable de rester là sans rien faire pendant que des gens meurent.

— Je ne crois pas qu'on devrait baisser les bras, parce que si ça continue comme ça, il va y avoir un party de famille dans ma tête, et Jane sera seule pour recueillir les confidences de sa grand-mère. C'est ridicule !

— Tu proposes quoi ?

— Il faut que je retourne à la maison de Margaret.

— Et quel stratagème comptes-tu utiliser, cette fois ?

— L'agent d'immeuble ne nous a rencontrés qu'une fois, tu penses qu'il se souviendrait de nous ?

— De toi, aucun doute. Ce n'est certainement pas tous les jours qu'une visiteuse jase avec un esprit quand il montre une propriété à vendre.

— Alors je me déguise. Et toi aussi.

JEAN-SIMON

Et re-clic

Anne nous a fait la *job*. Surtout à Emma. Moi, je m'en sors avec un complet-cravate prêté par Jean-Philippe, et un rasage de près. Mais Emma, la simplicité incarnée, la fille qui vit dans ses jeans et ses tuniques noires et qui n'utilise pas grand-chose d'autre que le mascara et le brillant à lèvres, a droit à une sérieuse métamorphose digne de Photoshop. Tailleur emprunté à Anne, coiffure soignée, maquillage élaboré, elle est méconnaissable. J'ai en tête ces photos de vedettes « avant/après » qui circulent sur Internet. Comme à mon habitude, je préfère nettement le look naturel à la fausse perfection fardée et retouchée.

Mario, l'agent d'immeuble qui n'a d'yeux que pour lui-même, n'y voit que du feu. Notre plan est que je l'entraîne adroitement à l'écart pour l'entretenir de préoccupations résidentielles de gars, pendant qu'Emma fait semblant d'admirer quelque chose et tente d'établir la communication avec Margaret.

Je prétends écouter Mario me parler du garage double et du terrain paysagé tout en observant furtivement Emma. Quelque chose cloche, elle n'a pas son air « les esprits me parlent ».

Je me concentre de nouveau sur Mario, qui s'est mis à me vanter le voisinage, l'accès facile à l'autoroute et la proximité de concessionnaires automobiles. Oui, mon grand, c'est certain que ça pèserait lourd dans la balance de n'avoir que quelques rues à parcourir pour aller m'acheter une nouvelle voiture. N'importe quoi.

Emma me lance un regard désespéré : toujours rien de son côté.

Pendant que je reviens à Mario, mon attention est attirée par le mur de photos derrière lui. Ces clichés, je les ai scrutés une trentaine de fois (du moins, leur copie). Il y a quelque chose de différent, ça me saute aux yeux immédiatement.

— Chérie, tu veux bien qu'on grimpe voir les chambres ?

Emma ne se fait pas prier, espérant sans doute que les ondes avec l'au-delà seront plus accessibles de là-haut.

Une fois monté, je prétends recevoir un appel et redescends pour parler en privé. Je continue de jacasser dans le vide tout en prenant des photos des photos, encore. Je mitraille le mur et la console : aucun doute possible, il en manque plusieurs.

Lorsque je suis de retour à l'étage, Emma me fait un discret « non », la mine déconfite. Margaret ! Manifeste-toi, bordel ! Des vies sont en danger !

EMMA

Euh... y a quelqu'un ?

Le retour chez moi se fait dans un silence tendu, après m'être excusée plusieurs fois, et m'être fait assurer par Jean-Simon, plusieurs fois aussi, que ce n'était pas ma faute. Margaret a refusé de se manifester, je ne pouvais pas avoir de contrôle là-dessus.

Ce que je ne lui précise pas, c'est que ça fait un sérieux bout de temps que personne n'a visité ma tête. Je ne crois pas qu'on m'a déjà foutu la paix si longtemps ; même lorsque je n'ai pas de clients qui se pointent chez moi, il y a toujours un esprit pour venir cogner à la porte de mon cerveau pendant que je suis au restaurant ou au cinéma. Avant, ça n'arrivait jamais, mais on dirait que depuis que Louis-Joseph Denoncourt s'est permis d'entrer dans ma tête sans crier gare, d'autres ont commencé à penser qu'il n'était pas nécessaire de se montrer polis avec moi.

Jusqu'ici, l'absence de visiteurs ne m'avait pas inquiétée outre mesure. En fait, je n'y avais pas porté trop d'attention, préoccupée que j'étais par les meurtres, ma relation avec Charles et ma nouvelle colocataire. Toutefois, maintenant que je dois urgemment parler avec Margaret...

Moment de panique ici.

J'appelle Charles.

— Bonjour, ma douce ! Comment s'est passée ta matinée ?

— Pas bien du tout. Je peux aller te voir ? J'ai besoin de ta présence, dans tous les sens de l'expression.

JEAN-SIMON

Pas trois, quatre

Après avoir déposé ma passagère, je me précipite chez moi pour comparer les nouveaux clichés à ceux de ma première visite.

Quelqu'un a changé les photos de place sur le mur et la console pour tenter de camoufler l'évidence : trois personnes manquent à l'appel. Toutes celles où apparaissaient Marie, Cassandra et Daniel se sont volatilisées.

Je prends quelques minutes pour m'assurer que les autres membres de la famille sont toujours là et c'est à ce moment que je constate pour la première fois ce qui aurait dû me sauter aux yeux depuis le début : Margaret n'est sur aucune photo, pas même celles qui étaient encore là à la première visite.

C'est moi ou c'est ridicule ?

Première option, le meurtrier croit qu'on ne remarquera pas la disparition des photos, ce qui fait de lui un imbécile. Peut-être s'imagine-t-il qu'en soustrayant leur visage à la vue de leurs proches, ces derniers les oublieront plus vite ? Ou qu'on ne verra pas que Daniel manque à l'appel ? Si c'est le cas, le meurtrier a les capacités intellectuelles d'un enfant de moins de dix ans.

Deuxième option, on a affaire à quelqu'un de plus dérangé que je ne le pensais, et l'escamotage des photos est symbolique. Il faut déjà être cinglé pour tuer des gens de sang-froid, alors cette dernière option me semble la plus plausible.

EMMA

Le numéro demandé n'est pas en service.
Veuillez vérifier le numéro, et composer de nouveau.
C'était un message enregistré.

Charles habite dans un agréable condo situé dans le nouvelle-ment chic Griffintown, donc pas très loin de chez moi. C'est petit, mais chaleureux, et je m'y sens bien, surtout lorsque mon chéri m'accueille avec une étreinte enveloppante, comme maintenant.

— Je dois tenter de parler à ton père, tu veux bien ?

— Avec plaisir. Qu'est-ce qui se passe ?

— Ça dépendra du résultat, je te raconte après.

Allô, Louis-Joseph ? Allô ? Y a quelqu'un ?

Y a personne.

Eh merde.

J'essaie encore pendant de longues minutes, toujours rien. Alors j'explique en pleurant à Charles que c'est terminé, mon don s'est évaporé.

— Ben voyons donc ! Ça ne peut pas disparaître comme ça !

— Il semblerait bien que ça peut.

— As-tu eu des signes avant-coureurs ? Des changements dans tes séances ? Je ne sais pas, moi, as-tu eu l'impression que tes visi-teurs s'effaçaient doucement dans ta tête ?

— Non, non et non. Rien de tout ça.

Je ne comprends pas. Est-ce que j'ai fait quelque chose de mal ? Est-ce que j'ai froissé Luni Green sans le vouloir ?

— As-tu des références dans le milieu de la voyance ? Un autre médium que tu connais, un livre, un site Internet ?

— Oh moi et Internet, tu sais… il s'y dit tellement de niaiseries.

— C'est sûr, mais ça vaut le coup d'essayer, non ?

— Au point où j'en suis…

Je cherche « perte d'un don de voyance ». Eh ben, je ne suis pas la seule qui s'y intéresse, on dirait. Oui, c'est possible : choc émotif, stress trop élevé… la meilleure, c'est une « experte » qui prétend qu'on peut perdre son don si on l'utilise à mauvais escient, dans le sens de « pour faire le mal ». C'est fou, je n'aurais jamais soupçonné l'existence d'un comité de déontologie décidant qui mérite de parler aux morts, et ayant le pouvoir de retirer ce don après examen d'un rapport de comportement. Foutaises.

— Rien d'intéressant ? s'enquiert Charles.

— Pas grand-chose de plausible. Ou du moins, rien qui s'applique à moi. Si j'en crois ce que je lis, et que ma perte de don est attribuable à un choc émotif, tout devrait rentrer dans l'ordre une fois la crise passée.

— Est-ce que tu te sens en crise ?

— Tellement pas.

À l'idée que ma capacité à aider mon prochain et l'autre d'après en leur permettant de communiquer avec l'au-delà ait disparu pour toujours, je suis prise d'un immense et accablant sentiment d'impuissance. Je fais quoi, maintenant ? Quelle est mon utilité sur cette terre ?

Nouvelle poussée de sanglots, nouveau câlin bienfaisant.

— Ma douce, tu ne peux pas te mettre à paniquer comme ça. Un, tu ne devrais pas perdre espoir. Et deux, tu ne peux pas commencer tout de suite à envisager un avenir dont tu ne sais rien. Une chose à la fois.

— J'ai peur.

— Je comprends.

Une chose à la fois, c'est facile à dire. D'abord, annuler tous mes rendez-vous de la semaine. Ensuite… Margaret. L'angoisse m'étreint de plus belle : comment allons-nous faire pour sauver tous ces gens qui sont peut-être en danger ?

JEAN-SIMON

Quatrième vitesse

Texto à Emma : Ça va ? Besoin de te parler.
Réponse : Non. Et pas maintenant.

J'ai tenté ma chance, je comprends bien qu'elle ne doit pas avoir très envie de jaser. Néanmoins, la vie continue. Et mon enquête aussi.

Mes deux priorités du moment :

1. Réussir une fois pour toutes à prévenir tous les cousins de ce qui se passe ;
2. Aviser le sergent Bouffard que Daniel s'est officiellement volatilisé.

Je sais que Jane n'est pas très chaude à l'idée de devoir communiquer avec sa famille. Pourtant, il faut ce qu'il faut. Je l'appelle et lui demande, avec gentillesse et fermeté, de téléphoner à tous ses cousins et cousines. Normalement, je lui dirais de les convoquer pour une séance avec Emma afin de parler à Margaret. Dans les circonstances, on va y aller au plus pressant : il faut leur dire d'être sur leurs gardes et de ne manger ou boire que ce qu'ils ont préparé eux-mêmes. Un peu alarmiste, mais nécessaire.

Le policier accepte de me rencontrer dans un café de la rue Monkland, pas très loin de l'ex-appartement de Cassandra.

— Ton associée t'a abandonné, Pellerin ?

— Quelque chose du genre, oui.

— Du nouveau dans la famille Ladouceur ?

— Un autre petit-enfant a disparu.

Je résume les événements des derniers jours, et fais part de mes soupçons au sergent. Il réfléchit quelques secondes, puis se prononce.

— Je suis d'accord que William est notre premier suspect, même si ça semble trop facile. Ce ne sont pas tous les meurtriers qui sont intelligents, tu sais, j'ai vu mon lot d'assassins imbéciles qui laissaient pratiquement leur nom et leurs coordonnées sur le lieu du crime.

— Il serait capable de supprimer son fils, vous pensez?

— Pourquoi pas? Il ne serait certainement pas le premier père à le faire. C'est difficile de s'imaginer que quelqu'un peut en arriver là, mais d'un autre côté, qui sait ce qui se passe dans sa tête?

— Alors, on fait quoi?

— Fini le niaisage, on passe en quatrième vitesse.

— C'est-à-dire?

— Je vais aller rencontrer notre suspect numéro un.

La sonnerie de mon cellulaire nous interrompt. Lorsque je reconnais le numéro de Catherine Ladouceur, je fais signe au policier de se rasseoir.

Catherine s'excuse de n'avoir pas pu répondre à mon appel l'autre jour, de ne pas m'avoir téléphoné plus tôt, de me déranger un samedi : elle en profite pendant que son mari est absent. Je la rassure sur tous les points, lui promets que son *timing* est impeccable (si seulement elle savait), puis l'invite à me parler de ce qui la préoccupe.

Le sergent Bouffard est suspendu à mes lèvres. Un endroit public se prêtant mal à une conversation sur mains libres, je pointe ma voiture du doigt et fais signe au sergent de me suivre. Je demande à Catherine de patienter un instant.

— Si vous n'y voyez pas d'inconvénient, je vais activer le haut-parleur de mon téléphone pour pouvoir prendre des notes en même temps. Je suis maintenant dans mon véhicule, personne ne pourra écouter notre conversation.

— D'accord. Je disais donc, mon mari a des comportements étranges depuis quelque temps, je ne le reconnais plus.

— Des exemples ?

— Bill a toujours été calme et posé. Je l'ai rarement vu stresser pour quoi que ce soit, à part peut-être quelques exceptions reliées à son emploi de pharmacien. Et encore là, jamais comme maintenant. Il sursaute à rien, il se ronge les ongles, si on marche dans la rue il jette des regards inquiets partout, comme s'il avait l'impression d'être suivi.

— Lui avez-vous demandé ce qui le rendait nerveux comme ça ?

— Il a dit qu'il avait des petits problèmes à la pharmacie, qu'un employé licencié lui aurait fait des menaces. Je ne l'ai pas cru, à cause de tout le reste.

— C'est-à-dire ?

— Il disparaît sans m'indiquer où il va, ou encore il me le dit, mais se mélange dans ses mensonges. La semaine dernière, il a prétendu qu'il s'en allait jouer au golf, et a laissé ses bâtons dans le garage. Quand il est revenu, je lui ai fait remarquer sa bourde, et il a bafouillé qu'il était parti m'acheter un cadeau pour notre anniversaire de mariage. Mais notre anniversaire est dans huit mois, ce n'est pas son genre de prendre de l'avance comme ça. Quelques jours plus tard, il a affirmé qu'il rencontrait son ami Jacques pour souper, puis à son retour il m'a dit que Martin me saluait. Je sais que ça peut sembler insignifiant, sauf que rien de tout cela ne lui ressemble.

— Alors agitation, mensonges et absences injustifiées. Autre chose ?

— Je crois qu'en gros c'est pas mal ça… Pensez-vous que je m'en fais pour rien ?

— Je pense surtout qu'il ne faut jamais nier l'importance de l'intuition féminine. Ça a commencé quand, tout ça ?

— Je ne pourrais pas vous dire précisément. Peut-être il y a deux mois?

— Est-ce qu'à votre connaissance il s'est produit un événement précis à ce moment-là?

— Tout ce qui me vient en tête, c'est que sa mère est décédée il y a environ un mois et demi. Cependant, son anxiété a commencé avant ça, alors je n'ai pas l'impression que c'est lié.

Je lui pose ensuite quelques questions d'usage, nous discutons de mes honoraires et des prochaines étapes. Elle me transmet l'horaire habituel de son mari pour que je puisse le filer. Je lui promets de la tenir au courant de ce que je trouve. Je la sens rassurée, non seulement parce que quelqu'un vient à son aide, mais aussi parce que je l'ai prise au sérieux. À l'entendre me raconter tout ça dans le détail, j'ai la certitude qu'elle n'en avait encore parlé à personne, et qu'un gros poids s'est transféré de ses épaules sur les miennes.

EMMA

Demain est, encore et toujours, un autre jour

— Qu'est-ce qui te ferait du bien, ma chérie ?

— M'endormir collée sur toi devant un film niaiseux après avoir ingurgité quantité de pop-corn et de chocolat.

— Vos désirs sont des ordres, maître.

Je sais ce qui me rendrait heureuse ! Je ne bouge plus d'ici, je reste dans les bras de Charles pour l'éternité. Je m'isole complètement, je disparais de la circulation, je ne me lève que pour aller faire pipi. Des vacances de moi, tiens, pour toujours.

Il faudrait juste que mon foutu sens des responsabilités me laisse tranquille.

Demain. Demain je trouverai des solutions.

JEAN-SIMON

MERCREDI 8 MAI
Pas mal

Mon appel terminé, le sergent Bouffard m'observe, un sourcil relevé.

— Pas mal, pas mal du tout, Pellerin ! T'as du policier dans les veines, ça paraît.

— Avez-vous toujours l'intention de questionner Bill ?

— Plus que jamais !

— Comment allez-vous justifier votre visite ?

— Ils ont bien dû entendre dire que nous avons interrogé les familles immédiates de Cassandra et de Marie, ça ne devrait pas être une grosse surprise que l'enquête s'étende à la famille élargie.

— S'il est coupable, il deviendra encore plus nerveux !

— Le contraire serait étonnant. Et tu risques d'en entendre parler par sa femme, alors on ne peut pas demander mieux.

Je donnerais cher pour accompagner le policier, mais nous convenons qu'il est plus prudent que je reste à l'écart. Si je dois prendre Bill en filature, il est préférable qu'il ne me reconnaisse pas.

J'ai à peine le temps de mettre les pieds chez moi que le sergent Bouffard me téléphone.

— Je sors de la pharmacie, la technicienne m'a dit que William Ladouceur est en voyage depuis deux semaines et ne sera pas de retour avant la semaine prochaine.

— Il n'est pas en voyage, puisqu'il était présent aux funérailles, et de toute façon, Catherine me l'aurait mentionné.

— Puisqu'on sait qu'il n'est pas chez lui en ce moment, j'attends demain matin pour me rendre à son domicile et je te rappelle. Bonne nuit, *partner*. Beau travail.

EMMA

Tant pis, pour vrai (ou presque)

Nouvel essai ce matin au déjeuner, toujours pas de Louis-Joseph.
Tant pis.
Oui, je le pense vraiment. Je n'ai jamais demandé de devenir médium. Même si, depuis son apparition, mon don de voyance a pris énormément de place dans ma vie, ce n'est pas lui qui définit entièrement qui je suis. J'existais avant, je vais continuer d'exister après. Ma « vraie » carrière de consultante ne s'en portera que mieux. Et puis, j'ai d'autres traits de personnalité intéressants, il me suffira de recommencer à les exploiter. J'aime aider les gens ? Il y a plein d'organismes qui cherchent des bénévoles. Ou encore je pourrais retourner aux études. Ou me trouver un passe-temps. Horticulture ? Ornithologie ? D'accord, les oiseaux ne m'ont jamais attirée, en fait je les considère comme les créatures les plus emmerdantes du monde animal. Toutefois, ça me permettrait de passer beaucoup de temps dehors, en silence. Et aussi, ça fait des années que je n'arrête pas de me dire qu'il faudrait que je me mette au yoga, et ça fait des années que je n'arrête pas de ne pas le faire. C'est peut-être maintenant le bon moment.
Est-ce qu'on peut faire du yoga en pleurant toutes les larmes de son corps ?

JEAN-SIMON

On avance... un peu.

Il n'est que 7 h 30 et je suis déjà douché, rasé et habillé. J'attends.

Chaque fois que je me déplace dans mon appartement, je reviens à la cuisine vérifier si je n'ai pas manqué un appel. Une vraie fille.

J'attends qu'il soit une heure un peu plus décente avant de prendre des nouvelles d'Emma. Elle ne répond pas à son cellulaire. Je téléphone chez elle, c'est Jane qui décroche, j'en profite pour m'assurer qu'elle va bien. J'apprends qu'Emma est toujours chez Charles. Jane m'informe ensuite de ses progrès dans la mission que je lui ai donnée : le seul cousin qu'elle n'a pas réussi à joindre est Colin, le plus jeune fils de Bill et Catherine. Il est parti en voyage en Thaïlande juste après le décès de Marie. Je suis impressionné par le travail de Jane, et je le lui dis. J'amorce ensuite une tentative de conversation, mais elle s'apprêtait à sortir pour sa marche. Elle promet de transmettre le message à Emma, merci, au revoir.

10 h 30, toujours rien.

Je n'aurais pas dû nettoyer mon appartement hier. Faire du ménage aujourd'hui, ça m'aurait tenu occupé.

Lorsque mon téléphone sonne enfin à 10 h 42, je saute pratiquement de joie en applaudissant. Bonjour, je m'appelle Jeanne-Simone.

— Pellerin ? Bouffard. On peut se parler ?

— Bien sûr !

— Même café qu'hier, on se voit là.

Le sergent Bouffard est déjà attablé devant une tasse fumante. Il n'y a qu'un vrai macho pour avoir l'air macho en buvant une tisane menthe et tilleul. J'attaque avant même de prendre place sur la banquette.

— Alors, Bill était chez lui?

— Bonjour, en forme?

— Désolé. Bonjour. Il était chez lui?

— Je l'ai attrapé alors qu'il allait sortir. Il a fait son gars pressé qui n'a pas le temps de s'attarder, un classique.

Catherine s'était présentée à la porte et avait invité le policier à s'asseoir au salon avec eux. Sans surprise, Bill s'était montré réticent à répondre aux questions, plaidant l'ignorance et demeurant aussi évasif que possible.

— Ça avait l'air de quoi, chez eux?

— Tu t'intéresses à la décoration, le jeune?

— C'est ça, oui. Non, mais sérieusement, ça en dit souvent beaucoup sur les gens.

— Possible. C'était propre, pas étincelant. En fait, tout semblait être à sa place, même si j'ai remarqué de la poussière un peu partout. Rangé, mais légèrement négligé.

— Et le style?

— Vieillot, comme si la décoration n'avait pas été rafraîchie depuis la construction de la maison dans les années soixante-dix, plus quelques éléments modernes qui n'ont pas l'air à leur place. Bon, ça va pour la portion *Décore ta vie*? On peut passer aux choses sérieuses?

— Vous lui avez posé des questions précises à propos de Cassandra et Marie?

— Questions de routine seulement. À le voir si nerveux, j'ai craint de lui faire peur au point qu'il se pousse. Il était comme un enfant pris en faute, il n'arrêtait pas de regarder sa femme comme s'il l'appelait à l'aide.

— Et Catherine, comment réagissait-elle?

— Comme si j'étais là en visite de courtoisie. Je pense qu'elle ne se doute pas des soupçons qui pèsent sur son mari.

— Vous ne trouvez pas ça bizarre, vu qu'elle a engagé un détective privé parce que le comportement de Bill lui semble étrange ?

— Pas nécessairement. Elle l'aime, elle s'inquiète pour lui, mais il ne lui viendrait sans doute pas à l'idée que l'amour de sa vie puisse être un meurtrier. Les connexions ne se font pas dans son cerveau. De toute façon, on n'a toujours pas de preuve contre lui.

Bon, d'accord. Difficile pour le sergent de poser des questions précises quant aux agissements de William au moment des meurtres, puisque nous ne savons pas exactement à quel moment le poison a été administré. Néanmoins, le couple a révélé la tenue d'un souper de famille quelques jours avant le décès de Cassandra. Une occasion parfaite pour glisser subtilement la substance mortelle dans son verre ou son assiette.

— Je leur ai aussi demandé s'ils savaient où je pourrais trouver leur fils Daniel. Pour la première fois, j'ai senti Catherine se crisper. Elle et son mari ont échangé un regard, puis elle s'est tournée vers moi et a dit : « Aussi bien vous en parler, nous ne savons pas où il est ». William a tiqué, mais elle a continué en affirmant que la secrétaire de Daniel les avait appelés parce que son patron n'avait pas donné signe de vie depuis quelques jours. Selon elle, ce n'est pas exceptionnel, Daniel a l'habitude de disparaître et de rester un bout de temps sans donner de nouvelles. Toutefois, étant donné les événements familiaux des dernières semaines, c'était maintenant plus inquiétant.

— Ont-ils rapporté la disparition à la police ?

— Non. Catherine a soutenu qu'elle allait le faire aujourd'hui même.

— Comment Bill a-t-il réagi ?

— Il n'a rien dit, mais fixait sa femme avec intensité, comme s'il essayait de communiquer avec elle par la pensée. Il doit être un bien mauvais joueur de poker, son visage montre pas mal d'émotions.

— Bon, je pose ma traditionnelle question : on fait quoi ?

— On les laisse s'adresser à la police. Entre nous, connaissant les processus en place, je ne serais pas surpris si Catherine te demandait de mener ta propre enquête. Avoir un détective privé à ma disposition, c'est ce que je ferais.

EMMA

Changeons d'air, encore

Quand je ne pleure pas, je dors, et quand je ne dors pas, je pleure. Charles est d'une patience d'ange ; il me nourrit, me frotte le dos, me passe la boîte de mouchoirs, me laisse déblatérer sur mes déboires d'ex-médium en quête d'une raison d'exister. En plus, il me donne une raison supplémentaire de l'aimer : il n'essaie pas de trouver de solutions à ma place.

Je me réveille de ma millième sieste, un peu moins larmoyante et plus sociable. Je jette un coup d'œil sur mon cellulaire muet pour voir ce que j'ai manqué dans les derniers jours.

Texto du détecteux : Besoin de te changer les idées ?

Oh que oui. De toute façon, je dois me rendre à l'évidence : c'est rarement en me contemplant le nombril que je trouve des solutions. Une concentration élevée de réflexions et questionnements amène presque toujours du tournage en rond, alors assez d'apitoiement, besoin d'action.

Ma réponse : Tellement. Qu'est-ce que tu proposes ?

Texto du détecteux : Un voyage à St. John's.

Ma réponse : Mais je n'ai pas retrouvé mon don.

Texto du détecteux : M'en fous, tant que tu n'as pas du même coup perdu ton intelligence.

S'il me restait des larmes, j'en aurais versé une. Il est vraiment gentil quand il veut, le monsieur.

Je lui demande de m'appeler, ce qu'il fait immédiatement.

— Qu'est-ce que j'ai manqué, le détecteux?

— Tout plein de choses. Si tu souhaites vraiment venir à St. John's, je te raconte dans l'avion.

— Ça commence à nous coûter cher, cette enquête, non?

— C'est aux frais de Catherine Gagnon-Ladouceur.

— Pour moi aussi?

— Oui, madame.

— Décidément, t'en as long à me raconter! As-tu vérifié l'heure des vols?

— Le prochain est dans deux jours, à 10 h 35. Je passe te prendre vers 8 h.

— Arrive un peu avant, on pourra déjeuner ensemble.

JEAN-SIMON

DIMANCHE 12 MAI
Pachyderme

Je ne m'attendais pas à trouver l'appartement aussi grouillant d'activité si tôt le matin. Pendant qu'Emma termine sa valise, Charles, Anne et Jean-Philippe discutent amicalement dans la cuisine. Jane prépare à déjeuner pour tout le monde en écoutant du jazz à tue-tête. J'évite d'entrer dans sa bulle et me joins à la conversation.

— Donc, rien de nouveau côté maison? demande Charles à Anne.

— Non. On a arrêté nos recherches, et on est toujours en attente pour la propriété de Margaret Ladouceur. L'agent d'immeuble sait qu'on est vraiment intéressés, alors il est censé nous avertir si une offre d'achat arrive sur son bureau.

— Et pourquoi ne pas déposer votre offre tout de suite? s'enquiert Charles.

Anne et Jean-Philippe se tournent vers moi, attendant que j'explique la directive que je leur ai donnée. Alors j'explique.

— Notre crainte, c'est que si les meurtres sont liés à la vente de la maison, l'offre d'Anne et Jean-Philippe pourrait précipiter les événements.

— Quelqu'un d'autre peut en faire une de toute façon! argumente Charles.

— Effectivement. On essaie donc de contrôler ce qu'on peut contrôler.

Emma choisit ce moment pour apparaître, ce qui m'évite de m'étendre sur le sujet. Je l'aime bien, Charles, mais il pose un peu trop de questions si tôt le matin.

Le repas se déroule ensuite dans la bonne humeur générale, même si tout le monde est conscient qu'on évite tous de parler de l'éléphant dans la pièce, soit la disparition du don d'Emma.

EMMA

J'en ai manqué des bouts

Je devrais trouver ça génial, être assise dans un avion sans avoir à me soucier des esprits qui souhaitent communiquer avec leurs proches, mais ce ne l'est pas tout à fait.

Entre Jean-Simon qui a peur de voler et moi qui veut à tout prix éviter de penser à ce qui manque à ma vie en ce moment, les autres passagers doivent trouver que les passagers des sièges 16 C et D sont bien turbulents avec leurs éclats de rire continuels. D'accord, on se calme. De toute façon, il serait temps pour le détecteux de me raconter ce que j'ai loupé pendant ma retraite Kleenex.

C'est clair, c'est structuré, c'est rapporté avec une objectivité et un sens du détail qui ne laisse pas grand-place aux questionnements. Tout ce qu'il manque, c'est l'aspect qui m'intéresse le plus, le côté émotif, instinctif.

— Ton *feeling*, mon chou ?

— J'ai beau essayer de m'enlever de la tête que Bill est coupable pour ne pas embrouiller mon jugement et risquer de mettre de côté d'autres renseignements pertinents, je n'y arrive pas. Toi, avec tes quelques jours de recul ?

— Je suis au même point. Il faut tout de même considérer qu'il nous manque encore beaucoup d'informations pour parvenir à une conclusion éclairée. Dis donc, pourquoi t'es parti à la recherche de Daniel plutôt que d'espionner Bill ?

— Ce n'était pas vraiment ma décision, j'ai répondu à la requête de Catherine.

Peu après la visite du sergent Bouffard, Catherine avait téléphoné à Jean-Simon pour lui demander de l'aider à retrouver son fils. Étonnement: la suggestion de faire appel à un détective privé venait de William! Sans révéler à son mari qu'elle avait déjà retenu les services de mon détecteux préféré, Catherine avait fait semblant de chercher dans le bottin, puis avait communiqué avec Jean-Simon. Bien qu'il ait répondu à la deuxième sonnerie, elle avait prétendu laisser un message pour qu'il comprenne bien qu'elle ne pouvait pas parler davantage. Fine mouche, cette Catherine.

— Une fois son mari parti, elle m'a téléphoné à nouveau et m'a expliqué la situation.

— Et comment as-tu réussi à la convaincre de payer deux billets d'avion?

— Je lui ai dit que tu étais médium, et qu'on irait plus vite à deux.

— Je ne suis plus médium.

— Je le sais, mais elle, non. Justement, tu vas faire quoi?

— Faire quoi à propos de quoi?

— Ben, de ton don! Ou plutôt de ton absence de don.

— On en parlera plus tard. Quel est le plan de match pour St. John's?

Je me sens un peu mal de lui fermer la porte au nez comme ça, mais c'est plus fort que moi. Si je n'ai pas envie de me regarder le nombril, ça enlève aux autres le droit de le faire.

— Chose certaine, il faut se rendre en priorité aux bureaux de BLB pour poser quelques questions. Catherine m'a aussi donné l'adresse et la clé de l'appartement que Daniel occupe lorsqu'il est là-bas. Ça nous fait toujours bien deux endroits à visiter.

— Sans rien enlever à l'importance de l'enquête, tu crois qu'on pourrait... euh...

— Jouer aux touristes ?

— Ooooouuuiii !

— Une fois qu'on aura épuisé toutes les pistes, je te promets que tu auras le droit d'explorer ce que tu veux.

— La tour où il y a eu la première communication radio ?

— Cabot Tower, d'accord.

— Et les falaises sur le bord de l'océan, tu sais, l'endroit qui est le plus plus plus à l'est du continent ?

— Cape Spear, d'accord.

— Tu connais la place, dis donc ! T'es déjà allé ?

— Non, j'ai fréquenté une Newfie il y a quelques années.

— Hé ! Ce n'est pas gentil, ça !

— Ce n'est pas une insulte, je te jure. L'expression a été utilisée à tort et à travers dans les blagues idiotes, mais c'est quand même comme ça qu'ils s'appellent !

Je sais que l'objectif de notre voyage est avant tout de retrouver Daniel et, éventuellement, de sauver d'autres vies, mais je sens que cette petite pause avec mon ami Jean-Simon nous fera du bien à tous les deux.

JEAN-SIMON

L'enfer existe

Deux tentatives d'atterrissage à l'aéroport de St. John's enveloppé de brume. Quarante-cinq minutes à tourner en rond dans le ciel en espérant une éclaircie. Le pilote nous annonce finalement qu'il doit se poser ailleurs, soit au chic aéroport de Gander. À 340 kilomètres de notre objectif initial.

La petite ville de Gander a été rendue célèbre le 11 septembre 2001 pour avoir accueilli les voyageurs dont les appareils étaient interdits de vol dans l'espace aérien américain, à la suite des attaques terroristes de cette journée fatidique. J'avais vu un documentaire fort intéressant là-dessus. Mais j'aurais préféré ne jamais avoir à y mettre les pieds.

Dès l'ouverture des portes, les passagers de notre avion se ruent vers les comptoirs de location d'auto. Peine perdue, notre vol est le cinquième à avoir été détourné. Le troupeau fonce ensuite sur les téléphones publics. Pas pour s'en servir, évidemment (qui utilise encore des téléphones publics de nos jours?), plutôt pour consulter les pages jaunes à la recherche d'une autre compagnie de location d'auto. Rien.

Surprise, une gentille voix annonce au micro que des autobus seront affrétés pour amener tout ce beau monde à destination. La perspective de passer entre trois et quatre heures dans un car ne m'enchante guère. L'autre option est encore moins tentante : prendre une chambre d'hôtel en attendant le prochain vol, et surtout en espérant que la brume se dissipera bientôt. Va pour l'autobus.

J'hésite tout de même à me plaindre : le couple qui occupe les sièges à côté des nôtres se tape tout ça avec un bambin de deux ans sur les genoux.

EMMA

DIMANCHE 12 MAI
Confidences et moment tendre

J'ai envie de hurler. La route vers St. John's n'en finit plus de finir, l'autobus roule à la vitesse d'une tortue, une petite neige mouillée plate (de la neige ? au mois de mai ?) rend la chaussée glissante et nous empêche de voir à plus de quelques mètres du bout de notre nez. Je ne peux apercevoir que des arbres rabougris qui me rappellent la Côte-Nord, aucun signe de vie, et je commence à penser sérieusement que Terre-Neuve est une île déserte.

Du haut de ses deux ans, notre voisin de siège, Benjamin, continue de sourire à tout le monde, comme si un voyage dans cet autobus constituait simplement une nouvelle et amusante aventure. Je me sens drôlement immature comparée à lui.

Histoire de me changer les idées, je décide de m'immiscer dans la vie privée de mon voisin immédiat.

— Alors, le détecteux, t'en es où avec Jane ?

— Dans le sens de… ?

— Ne fais pas l'innocent, elle te plaît, c'est évident !

Silence.

— D'accord, oui, je l'aime bien. Pas que ça m'avance tellement. Je ne crois pas que ce soit réciproque.

— Pourquoi ? Parce qu'elle ne t'est pas encore tombée dans les bras ?

— Je n'en demande pas tant. Ce serait juste bien si elle remarquait mon existence.

— Je suis sûre qu'elle sait que tu existes! Mais elle est trop dans sa tête, en ce moment.

— Tu penses que j'ai une chance avec elle?

— Maintenant? Non. Plus tard? Certainement! Laisse-lui un peu de temps pour se remettre de sa dépression et de ses deuils.

Benjamin profite d'un autre silence pour sauter dans l'allée et venir nous offrir ses plus beaux sourires. Jean-Simon me surprend.

— Salut, mon bonhomme, tu veux venir t'asseoir avec nous?

Le bambin consulte ses parents, qui lui font signe qu'il peut y aller. Curieusement, c'est sur mes jambes qu'il décide de s'installer. Il pose doucement l'arrière de sa tête sur mon épaule, contemple le paysage pendant quelques minutes, et s'endort.

Jean-Simon nous lance un regard attendri, et un sourire nono ne me quitte pas jusqu'à ce qu'on arrive, enfin, à St. John's.

JEAN-SIMON

Repérage

Jane a occupé mes pensées pendant une bonne partie de l'interminable trajet. Je ne comprends pas. Je ne la connais pas tant que ça, elle n'est pas au meilleur de sa forme, et elle m'ignore. Je suis maso ou quoi? Ou je m'intéresse à elle par défaut, pour éviter de penser à quelqu'un d'autre?

Maintenant, j'ai besoin de toute ma concentration. Conduire à St. John's n'est pas une mince affaire pour un non-initié. Une chance que nous avons un GPS, car j'ai l'impression que nous tournons en rond. Habitué au quadrillé relativement structuré de Montréal, je suis ici complètement désorienté. Que nous arrivions enfin à destination sans nous perdre me comble d'une joie enfantine.

Le Delta où j'ai réservé nos chambres offre une vue sur le port. La lumière du jour nous dira si c'était une bonne idée. Pour l'instant, nous devons surtout nous nourrir; le restaurant de l'hôtel fera l'affaire. Si je rêve d'un *fish & chips* depuis des jours, je peux bien attendre à demain pour me rendre à l'incontournable Ches's. Voir la madame pain-brun-légumes-et-quinoa qui m'accompagne se noyer dans la friture devrait s'avérer fort intéressant.

Je cogne à la porte d'Emma, elle m'accueille en pyjama.

— Tu vas sortir comme ça?

— Comment, sortir? T'es fou? Il est 22 h 12, je ne vais nulle part!

— J'ai faim.

— Moi aussi, mais pas question que je mette le pied dehors. Je ne dirais pas non au service à la chambre, par contre. S'il y avait eu de grosses fleurs laides sur l'édredon, j'y penserais à deux fois ; mais comme la pièce est plutôt agréable, je ne bouge pas d'ici.

— T'es plate. Et t'as probablement raison. Choisis-nous quelque chose dans le menu, je vais chercher mon ordinateur. On pourra faire un peu de repérage pour demain.

Pendant qu'Emma, étendue sur le lit, regarde les nouvelles après avoir commandé notre repas, j'ouvre mon ami Google Maps. Les bureaux de la BLB sont situés sur Harbour Drive, et l'appartement de Daniel sur la rue Bates Hill. Tous deux sont à quelques minutes de notre hôtel. J'en profite pour localiser d'autres points d'intérêt, y compris ceux qu'Emma veut visiter.

— La météo indique qu'il fera beau jusqu'à la fin de la semaine. On aura sûrement l'occasion d'aller à Cape Spear dans les prochains jours. Emma ?

Elle s'est endormie.

EMMA

Ma pertinence laisse à désirer

Je me réveille en sursaut : j'ai rêvé que j'avais perdu Benjamin. On peut dire qu'il a fait toute une impression sur moi, ce gamin.

Il n'est que 6 h, heure de Montréal, quatre-vingt-dix minutes plus tard chez les Newfies.

J'entends un pas-très-discret Jean-Simon bouger dans la pièce à côté. Douche, café Nabob moche dans la mini-cafetière de ma chambre, je suis prête à attaquer la journée.

Pourquoi les buffets d'hôtel n'ont toujours que cantaloup et melon miel à offrir côté santé ? Ce sont les deux fruits les plus plates sur la terre. Tant pis, je me farcis une pile de crêpes surmontée d'une demi-douzaine de tranches de bacon bien croustillant.

— Euh… affamée, madame ?

— Terriblement. Ce n'est pas moi qui ai englouti deux *cheeseburgers* hier soir.

— T'avais juste à pas t'endormir. Quoique, ça t'a fait du bien, on dirait. T'as retrouvé un peu de rose sur tes joues, j'ai moins l'impression de me promener avec une zombie en devenir.

— Merci, c'est vraiment un super beau compliment, que tu me fais là.

— Plaisir.

Nous laissons la voiture de location à l'hôtel pour une marche bénéfique. Je n'ai pas encore réussi à voir de près les jolies maisons colorées qu'on montre dans toutes les publicités de Terre-Neuve, mais j'y compte bien. En attendant, nous trouvons les bureaux de

BLB sans trop de difficulté. La réceptionniste nous demande de patienter quelques instants, puis nous introduit dans une salle de conférence où nous rejoint le vice-président de l'entreprise.

— Bonjour ! Je suis heureux de ici vous voir.

— Vous parlez français ? s'étonne Jean-Simon.

— Je crains que non très bien, mais je gère. Alfred Ladouceur, le fondateur de nous, voulait que ses employés de parler français. Il paya pour les classes pour nous tous. Vous savez, il y a des francophones *communities* de Newfoundland. La plupart nous ne parlait anglais. *So*, êtes-vous qui exactement ?

— Je suis Jean-Simon, voici Emma. Nous avons été engagés par Catherine Ladouceur pour retrouver son fils Daniel, votre président.

— *Good, good.* Nous sont inquiets. Daniel n'a pas revient au bureau de beaucoup jours.

— Est-ce que ça lui arrive souvent de s'absenter comme ça ?

— Oui, pour sûr. Il promène beaucoup entre Montréal et Québec et ici. Mais il toujours dit où il va. Pas maintenant.

— Cette fois, il ne vous a pas prévenus ?

— Non. Nous attend lui pour *meeting*, et il jamais venir.

— Avez-vous toute autre information qui pourrait nous être utile ? Daniel avait-il des amis qui pourraient nous renseigner ?

— Lui passait pas beaucoup par temps dehors d'ici ou du son maison. Pas amis vraiment *except* collègues. Je a pas de idées plus de ça.

— Merci d'avoir accepté de nous rencontrer. Voici ma carte, n'hésitez pas si vous pensez à quoi que ce soit d'autre.

Nous partons, et je n'ai pas ouvert la bouche une seule fois. Bravo pour ma pertinence, vraiment. Au moins, je ne suis pas la seule, le VP ne nous a pas appris grand-chose.

Suivant stop, le maison du Daniel.

JEAN-SIMON

Détectivons

L'appartement de Daniel, un sympathique *one bedroom*, est pratiquement vide. Mais vu que son occupant se promène régulièrement entre trois villes, le contraire aurait été étonnant.

— Bon, c'est quoi le processus, monsieur le détective ?

— On cherche partout.

— Quoi ? Pas de liste ? Pas de méthode éprouvée pour ne rien manquer ? Tu ne souhaites pas qu'on quadrille l'espace ?

— Ce que je veux, c'est que t'arrêtes de te moquer de mon sens de l'organisation, madame la baveuse.

— Qu'est-ce que t'espères trouver ?

— Honnêtement, je suis surtout content qu'on ne soit pas tombé sur un cadavre.

Dans un coin du salon, une table de travail. Elle est recouverte d'une fine couche de poussière, sauf sur une zone de la taille d'un ordinateur portable. Je fouille l'appartement, pas d'ordinateur. C'est peu, mais ça m'encourage. Si Daniel l'a apporté, ça peut être bon signe. De quoi, je ne le sais pas encore.

La table de travail loge également un certain nombre de dossiers, dont un marqué « Dépenses ». Bingo.

Emma me donne un coup de main pour passer à travers les reçus, et nous avons vite fait de déterminer ceci :

1. Daniel n'a fait aucune dépense depuis le 22 avril ;

2. Il a une petite amie. Trois bouquets de fleurs en un mois : soit Daniel est nouvellement amoureux, soit il a quelque chose à se faire pardonner ;

3. Il aime les mets mexicains ; les seuls reçus de restaurant proviennent tous, sans exception, de chez Zapata's.

— C'est juste en dessous ! s'exclame Emma. Et comme son frigo ne contient que du lait, du beurre et du pain, je suis prête à parier qu'il le considère comme sa propre cuisine.

— Excellente déduction, ma chère Watson. On fait un dernier tour du logement, et on y va.

Difficile de déterminer s'il manque des vêtements, mais chose certaine, un élément important de la vie de tout travailleur qui se déplace de ville en ville est absent : le sac de voyage ou la valise. Même si Daniel peut à la limite laisser le nécessaire à chaque appartement, il aura toujours quelques trucs à transporter. Surtout que, dans le cas qui nous intéresse, la salle de bain ne contient absolument aucun produit de toilette, pas même une brosse à dents.

Un espoir se profile doucement dans mon esprit : Daniel est peut-être parti quelque part de son propre gré. Alors, pourquoi ne l'aurait-il dit à personne ?

EMMA

L'apprentie apprend vite. Olé !

Je ne le mentionnerai pas à Jean-Simon, mais je me trouve plutôt formidable comme apprentie détective ! Qui sait, peut-être que ma carrière post-don pourrait m'amener à détectiver plus souvent ?

Notre arrivée dans le restaurant Zapata's passe plutôt inaperçue. Il faut dire qu'il est tard pour dîner, et très tôt pour souper. Mon estomac s'en fout un peu, et manifeste son intérêt pour les mets mexicains.

— *Oh hi ! I didn't hear you come in, welcome to Zapata's !*

Une sympathique dame nous fait signe d'entrer et nous invite à prendre place à une banquette.

Je le vois dans son visage, Jean-Simon s'apprête à lui dire que nous ne venons pas pour manger. Je l'arrête d'un geste tout en imitant un chiot qui pleurniche. En levant les yeux au ciel, il se résigne à s'asseoir. En moins de deux, la serveuse nous a remis des menus et a placé devant nous des nachos accompagnés d'un bol de délicieuse sauce au fromage. La madame est ma nouvelle meilleure amie.

Après avoir hésité longtemps, j'opte pour le *Platillo de Zapata*, qui s'annonce être un merveilleux plateau de toutes sortes de choses, que Jean-Simon veut partager avec moi, ce que je refuse. Pas touche à mon mexicain. Il grogne un peu, et finit par choisir un *Burrito plate* de gars plate.

Nous attendons que Lorraine (c'est le nom de ma nouvelle meilleure amie) ait passé la commande pour lui faire signe de revenir nous voir. Nous sommes les seuls clients, et elle a la démarche de quelqu'un qui a mal aux jambes, alors je lui offre de s'asseoir quelques minutes, ce qu'elle fait en poussant un soupir de soulagement. Jean-Simon sort son anglais du dimanche ; ce qui suit est une traduction simultanée.

— Lorraine, nous sommes venus de Montréal pour...

— Oh vous êtes de Montréal ? Mon fils habite à Montréal ! J'y suis allée il y a quelques mois pour voir mon petit-fils. Lui aussi parle français, vous savez. Trois ans et il est déjà bilingue !

— Je disais donc... nous sommes venus pour enquêter sur la disparition d'un homme que vous connaissez peut-être, c'est un habitué de votre restaurant, Daniel Ladouceur.

— Daniel a disparu ?! Nooon ! Ce n'est pas possible, qu'est-ce qui s'est passé ? Il habite juste en haut, il vient ici tous les jours quand il est à St. John's ! C'est vrai que je ne l'ai pas vu depuis quelque temps, mais comme il voyage continuellement, je n'en ai pas fait de cas... Oh mon Dieu, qu'est-ce qui lui est arrivé ?

— Justement, c'est ce que nous essayons de découvrir. Quand l'avez-vous vu pour la dernière fois ?

— Laissez-moi réfléchir... Oh, je sais ! Il était ici le 22 novembre dernier, je m'en souviens parce que cette journée-là, j'ai dû aller avec ma mère chez son médecin, et ça nous a pris plus longtemps que prévu, alors je suis arrivée quelques minutes en retard au restaurant et Daniel était déjà assis et il m'attendait. C'est un homme d'habitudes, il venait toujours souper à la même heure.

— Est-ce que quelque chose vous a semblé différent, ce soir-là ? Avait-il l'air nerveux, agité ?

— Laissez-moi y réfléchir. Je vais chercher vos plats et je reviens.

Elle a à peine le temps de déposer nos assiettes sur la table qu'un petit groupe de clients s'entasse dans l'entrée. Avec une mimique d'excuse, Lorraine s'éclipse pour s'occuper d'eux.

Jean-Simon me parle, et je ne l'écoute que d'une oreille distraite ; ma préoccupation du moment est d'engloutir vigoureusement le contenu de mon assiette.

Au retour de Lorraine, j'ai terminé mon repas.

— Alors, vous me demandiez si quelque chose était différent. La réponse est oui. Il avait l'air soucieux. Ça contrastait un peu avec les semaines précédentes, parce qu'il était tellement heureux !

Baissant la voix, et avec un ton de conspirateur, Lorraine nous confie :

— C'est qu'il s'était fait une petite amie, voyez-vous. Une femme d'ici, Donna, la cousine de la voisine de mon frère Leo.

Ha ! Ça confirme notre déduction au sujet des reçus de fleuriste.

Maintenant que je n'ai plus rien à me mettre sous la dent, je décide de prendre une part un peu plus active dans la discussion, tout en satisfaisant ma curiosité de fille.

— Savez-vous comment ils se sont rencontrés ?

— Ici, au restaurant ! C'était un soir terriblement occupé, je n'avais plus de place pour Daniel. Donna était toute seule à sa table, alors elle m'a offert de l'asseoir avec elle. Ils ne se sont pas lâchés depuis ! Daniel prévoyait aller la présenter à ses parents, il ne leur en avait pas parlé, voulant leur faire une surprise. Ils s'inquiétaient toujours de son célibat, donc il a pensé que…

— Savez-vous où nous pourrions trouver Donna ?

— Donnez-moi une minute. Leigh ! As-tu l'adresse de Donna ?

Je lève les yeux vers Jean-Simon et rencontre son regard approbateur.

— Tu apprends vite, apprentie détective !

— J'ai un bon prof, détective établi !

JEAN-SIMON

Prostitution d'information

Pas de réponse lorsque je téléphone à Donna. Emma ne comprend pas trop pourquoi j'insiste pour me rendre chez elle.

— Si elle ne répond pas, elle ne doit pas être chez elle!

— *Dixit* madame filtre elle-même?

— OK, je comprends ton raisonnement. C'est juste que je n'aime pas me présenter chez les gens sans m'annoncer.

— Pourtant, tu laisses tes clients te faire le coup tous les jours.

— C'est quoi l'affaire? C'est la journée «on reprend Emma sur tout ce qu'elle dit»?

— Depuis quand tu parles de toi à la troisième personne?

Taquiner Emma m'apporte un plaisir immense, surtout quand j'arrive à lui en boucher un coin.

Pendant que nous nous entêtons à sonner à la porte de Donna, une femme se plante dans notre dos. «Can I help you?» demande-t-elle.

Malheureusement, il ne s'agit pas de Donna, plutôt de sa voisine à l'air bête qui refuse de me dire son nom. Je lui montre mon permis de détective (qu'elle ne peut pas lire parce qu'il est en français), lui explique pourquoi nous cherchons Donna. En mettant un peu d'urgence dans ma voix, elle finit par accepter de nous parler.

Elle n'a pas vu sa voisine depuis le soir du 22 avril (ce qui concorde avec ce que Lorraine nous a raconté pour Daniel). Donna s'est présentée chez elle et lui a demandé de s'occuper de son chat pendant son absence.

— Elle a mentionné où elle allait?

— Au chalet de ses parents.

— Qui est situé...

— À la campagne.

— Oui, je m'en doute, mais...

— Écoutez, vous espérez en savoir plus? Parlez à ses parents. Moi je ne m'en mêle plus. Et puis, qu'est-ce qui me prouve que ce n'est pas de vous qu'elle a voulu se cacher?

— Ah, parce qu'elle vous a dit qu'elle se cachait?

— Allez au diable.

— Et si je vous donne cent dollars, serez-vous plus prompte à m'aider?

Les yeux de la dame s'illuminent d'une lueur furtive. Elle proteste pour la forme, mais on sait tous qu'elle va dire oui.

EMMA

Venir par chance

— T'es vraiment sûr qu'elle ne nous a pas niaisés ?
— Attends, je vérifie sur le GPS.
— Si elle nous a dit la vérité, c'est fou quand même d'être prête à vendre sa voisine pour cent dollars !
— Bon, il semblerait qu'elle ne se foutait pas de notre gueule avec le nom du village, je viens de trouver Come By Chance.
— J'adore ! C'est loin ?
— Un peu plus d'une heure à l'ouest de St. John's. La journée est déjà pas mal avancée, on devrait probablement attendre à demain matin.
— Hum. Es-tu en train de me dire que…
— Oui, Emma, l'heure du tourisme a sonné.

Yééé ! J'aime tourister. Si j'ai tout plein de temps devant moi, je choisis généralement de visiter les lieux moins connus, jaser avec les habitants, m'imprégner de la culture. Si je n'ai que quelques heures, j'ai tout autant de plaisir à me concentrer sur les « classiques » de l'endroit.

Le soleil n'est pas couché, il se pointe le bout du nez à travers les nuages. Absolument parfait pour se rendre à Cape Spear pour contempler l'océan et les falaises escarpées. Que c'est magnifique ! Même Jean-Simon, que le fait de se trouver à l'extrémité du continent n'excite pas particulièrement, doit avouer que le paysage est à couper le souffle.

Après une longue marche silencieuse sur les rochers, où j'ai laissé libre cours à mes réflexions, repassé le fil des événements et finalement accepté de me poser les vraies questions, je demande à mon compagnon de me laisser seule pendant quelques minutes. Assise en indien, je contemple l'horizon, respire un bon coup, et éclate en sanglots. Les dates concordent : j'ai perdu mon don au moment où, vraisemblablement, je suis tombée enceinte.

JEAN-SIMON

Créativité et anxiété

Décidément, les Newfies savent faire preuve de créativité, et lire leurs panneaux indicateurs apporte beaucoup de joie à une Emma un peu trop tranquille : elle sourit à *Conception Bay* et *Butter Pot Park*, rit à *Little Pond*, *Middle Pond* et *Big Pond*, mais éclate complètement à *Blow me Down* (traduction très libre : Fais-moi tomber, vent !) et *Dildo*. Oui oui, Dildo (traduction : Godemiché).

Depuis notre départ de St. John's, je remarque plusieurs cadavres d'animaux gisant sur le côté de la route. Je me suis toujours demandé si c'était volontaire de leur part, s'il s'agissait de suicides. Je ne dis pas que les animaux sauvages ont des états d'âme dépressifs, mais qui sait vraiment ce qui s'est passé ? Peut-être qu'ils étaient blessés et souffrants et ont préféré en finir ?

— Dis, Emma, tu parles aux esprits animaliers, parfois ?

— Certains viennent me visiter. Mais ce n'est pas parce qu'ils sont dans l'au-delà qu'ils développent soudainement la capacité de s'exprimer comme nous.

Je lui fais part de ma réflexion sur les animaux suicidaires.

— Ha ! Je n'y avais jamais pensé. En tout cas, aucun de mes visiteurs à poils ne m'en a parlé.

— T'as des visiteurs tout nus ?

— T'es nono.

Cette petite pause niaiseries m'a fait du bien, mais pas suffisamment pour empêcher mon inquiétude de refaire surface.

— Et si la voisine nous avait lancés sur une fausse piste ?

— On s'en rendra compte bien assez vite. Et on connaît son adresse, raisonne Emma.

— Et si on arrive trop tard?

— Ah ça, on n'a pas grand contrôle là-dessus. Voyons, le détecteux, ce n'est pas plutôt mon rôle à moi, d'angoisser? Qu'est-ce qui se passe avec toi?

— Je n'angoisse pas! Ben peut-être un peu. Je ne sais pas.

Nous sursautons tous les deux lorsque le cellulaire d'Emma sonne. Ici, au milieu de nulle part? C'est Anne.

— Au secours! Quelqu'un a déposé une offre sur la maison!

— Donne-moi un instant, je mets l'appel sur le haut-parleur, réplique Emma. OK, vas-y.

— L'agent d'immeuble vient de me téléphoner, il a reçu une offre intéressante. Il l'a déjà présentée à William et attend sa réponse.

— Oh non! Surtout qu'on sait qu'il est pressé de se débarrasser de la propriété, ce n'est pas bon, ça! s'emporte Emma.

Merde. Il ne reste qu'à espérer que l'offre sera refusée, à moins que… Je demande à Anne s'il y a des conditions.

— Oui, l'offre est conditionnelle au financement et à la vente de la maison actuelle de l'acheteur, mais ce n'est pas ça le plus intéressant. J'ai gardé le meilleur pour la fin : l'acheteur potentiel est Jane.

EMMA

Can't miss it, b'y !

C'est une blague, ce n'est pas possible. Je me creuse la tête pour essayer de saisir la motivation de Jane et Jean-Simon en est à son douzième «j'comprends pas» lorsque nous arrivons à la sortie pour le village de Come By Chance. Les histoires de maison devront attendre.

Nous n'avons pas d'adresse précise. La seule information que nous détenons est le nom des parents de Donna. La voisine qui a (littéralement) vendu la mèche nous a assuré que tout le monde au village connaîtrait l'endroit, qu'il suffirait de demander.

Les rues sont désertes, mais le pimpant *Paulette's Hair Shop* me semble un bon point de départ pour nos recherches. Les salons de coiffure étant généralement de véritables nids à potins, quelqu'un là-dedans doit forcément savoir où se trouve le chalet des parents de Donna. Et quelqu'un sait effectivement. En moins de deux, Paulette elle-même me renseigne : continuez sur la rue principale pendant quelques kilomètres, puis tournez à droite sur le chemin de terre juste après la station-service. Le chalet est situé tout au bout, on ne peut pas le manquer. J'adore son «*can't miss it, b'y !*», maintenant que j'ai appris que le fameux «*b'y*» utilisé sans arrêt par les Newfies ne veut pas dire au revoir. Selon Wikipedia, ça signifie «fils». Pourtant, à les voir l'insérer partout à tort et à travers, je dirais que ça ne veut pas dire grand-chose d'autre que juste «*b'y*».

Plus nous approchons du but, plus je me sens gagnée par la nervosité. Jean-Simon ne desserre les dents qu'une fois stationné devant le chalet.

— Prêts pas prêts, on y va.

— Plan d'attaque, b'y?

— On espère ne pas trouver de cadavres.

Non, pas de cadavres, seulement un homme armé d'une carabine qui nous attend de pied ferme sur le balcon.

JEAN-SIMON

· MARDI 14 MAI

Ne tirez pas !

Je me sens ridicule, mais c'est plus fort que moi. Je lève les bras au ciel en disant « Ne tirez pas ! ». Emma m'imite, et nous attendons comme deux belles dindes à côté de la voiture que le monsieur armé se décide à nous parler. J'observe son visage fermé et reconnais enfin Daniel, en remerciant encore une fois les photos des photos. Je m'avance doucement.

— Daniel ? Je suis Jean-Simon Pellerin. Votre mère m'a engagé pour vous retrouver, elle s'inquiétait.

— Ma mère ? Donnez-moi plus de détails, j'ai besoin de vérifier si vous dites la vérité.

— Catherine Gagnon-Ladouceur m'a demandé de vous trouver parce qu'elle n'a pas de vos nouvelles depuis plusieurs jours. Elle m'a fourni la clé de votre appartement à St. John's.

— Décrivez-moi ma mère.

— Je ne l'ai jamais rencontrée, je ne lui ai parlé qu'au téléphone !

— Elle vous a joint sur votre cellulaire ? Approchez très doucement, et montrez-moi la liste des appels reçus.

Pas fou. Je m'exécute et lui tends mon appareil. Il descend de quelques marches, le saisit et regarde attentivement la liste. Finalement, il baisse son arme en nous faisant signe d'entrer.

— *Donna ! You can come out, honey !*

La *honey* en question sort d'un garde-robe, l'air terrorisé.

— Désolé pour l'accueil, monsieur Pellerin. Et vous êtes ?

— Emma DeAngelis, sa partenaire.

Poignées de main civilisées. La tension est palpable, même si elle a diminué d'un cran.

— J'ai l'impression que votre mère avait raison de s'inquiéter. Qu'est-ce qui vous a rendu aussi nerveux, monsieur Ladouceur ?

— Appelez-moi Daniel. Et assoyez-vous, je vous en prie.

Le chalet est accueillant et vieillot. Les Newfies ont les mêmes stéréotypes que nous, on dirait : murs en faux bois, animaux empaillés et divans à carreaux, qui craquent dès que nous y installons nos fesses. Un écureuil posé sur la table à café me regarde avec un air mauvais.

Le 22 avril dernier (ah ben, dis donc), Daniel avait reçu une lettre anonyme lui ordonnant de disparaître. Et bien sûr, de ne pas communiquer avec la police. La note contenait des détails révélateurs sur sa vie, ses habitudes, ainsi que celles de sa famille à Montréal. Le message était clair : si vous n'obéissez pas, nous nous en prendrons à vos proches.

— Avec la lettre, il y avait des photos de membres de ma famille prises à leur insu.

— Dans le genre « nous savons où ils sont et nous pouvons les atteindre », commente Emma.

— C'est ça. La note disait que je devais disparaître immédiatement dans un endroit où personne ne me retrouverait, pour un mois complet. Je pensais aller dans le bois, comme on me l'avait commandé, mais Donna a insisté pour se cacher avec moi, et je ne pouvais pas me résoudre à lui imposer du camping sauvage pour une si longue période.

— Et on vous a ordonné de n'en parler à personne ?

— Exactement. Je me suis senti vraiment coupable de ne pas aviser ma mère, surtout qu'elle m'a semblé étrange ces derniers temps.

— Dans quel sens ?

— Je l'ai trouvée préoccupée, nerveuse. En fait, mes deux parents m'ont donné cette impression. Quand j'ai posé des questions, les deux ont refusé de répondre.

Il se tourne vers Donna. Elle n'a pas l'air de comprendre le français, mais elle saisit son regard au vol et lui sourit avec tant d'amour que la tension résiduelle dans la pièce se dissipe sans laisser de trace.

Daniel nous demande ensuite comment nous avons fait pour le retrouver. Pour bien répondre à sa question, je n'ai d'autre choix que de tout lui raconter depuis le début, en omettant les soupçons qui pèsent sur son père.

Lorsque je termine mon récit, Daniel est démoli.

Le visage dans les mains, il sanglote en silence. Donna, qui n'a pas saisi grand-chose de mon monologue, ne peut que lui frotter doucement le dos. Daniel relève la tête.

— Vous croyez que les autres ont eu des lettres aussi ?

— Cassandra et Marie ? Je ne pense pas, leurs affaires ont été passées au peigne fin, et aucune note n'a été trouvée.

— Ça n'a pas de sens. Pourquoi auraient-elles été assassinées sans préavis, alors que moi je m'en sors avec un avertissement ?

Emma et moi échangeons un regard discret : William. Puis, nous remarquons tous deux un subtil changement dans l'expression de Daniel. Il vient de tout comprendre.

EMMA

MARDI 14 MAI
Ça ne colle pas

Nous sommes partis en faisant promettre à Daniel de rester sur ses gardes. Nous roulons en silence pendant quelques kilomètres, puis je pose la question qui me turlupine depuis que nous avons quitté Come By Chance.

— Qu'est-ce que tu vas dire à Catherine ?

— C'est justement à ça que je réfléchissais. Je n'ai pas vraiment le choix de révéler que nous avons retrouvé Daniel, c'est pour ça qu'elle nous paye, et je ne veux pas qu'elle continue à s'inquiéter pour rien.

— En même temps...

— ... je ne peux pas lui dire où on l'a trouvé, des fois que William changerait d'idée.

— C'est vraiment là qu'on en est ? Bill est le coupable ?

— Je ne vois pas d'autre explication ! Pourquoi Daniel n'aurait-il eu qu'un avertissement, sinon ?

— Je ne sais pas. J'ai l'impression qu'il nous manque un paquet d'informations avant d'arriver à une conclusion sans faille.

— Comme quoi ?

— Pourquoi Cassandra, Marie et Daniel ? Pourquoi pas les autres ?

— Tu oublies que quelqu'un a tenté de s'introduire chez Jane.

— D'accord, Jane aussi. Et les autres ? Et pourquoi William aurait-il insisté pour que Catherine engage un détective pour retrouver son fils ?

157

— Pour brouiller les pistes?

Je sens ma tête sur le point d'exploser. Il y a quelque chose qui ne colle pas, je n'arrive pas à mettre le doigt dessus. Nous convenons de laisser mariner tout ça jusqu'à ce que nous soyons de retour à la chambre d'hôtel. Jean-Simon a besoin d'écrire pour réfléchir, et moi j'ai besoin de réfléchir tout court. Mais pas à l'enquête.

Jusqu'à maintenant, j'ai réussi à faire abstraction de ma découverte d'hier, même si l'information se trouvait toujours quelque part à portée de pensée. Le problème, c'est qu'il est inutile de m'y attarder sérieusement tant que je n'ai pas fait de test de grossesse. Ici, c'est la partie rationnelle de mon cerveau qui parle. La partie émotive, elle, me raconte tout un tas d'histoires et m'envoie des images que je préférerais ignorer: le bonheur de Charles lorsque je lui apprends la nouvelle, moi avec un beau bedon tout rond, Marielle qui organise le shower du siècle, Charles qui fait sauter un bébé gazouillant sur ses genoux…

— Emma? Qu'est-ce que t'as à sourire comme ça?

JEAN-SIMON

MARDI 14 MAI
Amenez-en du *gravy* !

Emma a eu son Cape Spear, c'est mon tour : je veux des *fish &* *chips* chez Ches's. J'élabore tout un plan d'attaque convaincant pendant qu'elle fait un saut à la pharmacie. Lorsqu'elle en ressort, j'ai au moins cinq arguments massue à lui servir.

— Tu sais Emma, on n'est pas loin de chez Ches's, et...

— Bonne idée, j'ai justement faim.

Je suis presque déçu. Pas de combat épique à livrer.

Par contre, le décor répond parfaitement à mes désirs : du bois couleur caramel, du vert forêt, des fleurs séchées. Pittoresque à souhait. En attendant la serveuse, nous observons les assiettes des autres clients, histoire de nous inspirer un peu. Emma est en état de choc : ils mettent de la farce et de la sauce brune sur leurs *fish & chips*.

— Ben là ! De la farce, comme pour la dinde ? Et de la sauce brune ? C'est déjà assez gras de même, c'est quoi l'idée ?

— Je n'ai jamais vu ça de ma vie, sauf qu'à Rome, on fait comme les Romains.

— Ils n'ont pas beaucoup de choix de salades...

— Tu vas manger une salade ? Tu me niaises ? !

— Oui !

Emma commande pas un, mais bien deux morceaux de morue frite. Le macho en moi se sent obligé d'en demander trois, en espérant qu'on les serve avec une dose de Pepto-Bismol.

— Alors, quand vas-tu te décider à porter des lunettes, madame fièrepète ?

— Hein ? De quoi tu parles ?

— Tu penses que je n'ai pas remarqué que tu éloignais le menu pour lire les petits caractères ?

— Hors de question. Je ne t'ai jamais raconté mon traumatisme ? Quand j'étais enfant, je souffrais de strabisme, et la fatigue envoyait mon œil gauche à la dérive. Avant de m'opérer, le médecin m'a prescrit des lunettes spéciales : j'avais le choix entre grosses laides et brunes ou grosses laides et vertes. J'ai choisi les vertes. J'étais en maternelle. Peux-tu t'imaginer à quel point j'ai fait rire de moi ?

— Ça n'a pas dû durer bien longtemps…

— Assez pour que je développe une sympathie pour tous les personnages portant des verres, y compris la souris pas fine dans l'émission de télé *Sourissimo*.

— Ha ha ! Ça explique peut-être pourquoi tu prends souvent la défense des incompris.

L'embargo n'étant pas encore levé, interdit de discuter de l'enquête. Néanmoins, une autre préoccupation refait surface : Jane. Je ne peux m'empêcher d'en parler.

— Parlant d'incompris, j'ai beau tourner ça de tous les côtés dans ma tête, je ne saisis toujours pas pourquoi Jane a fait une offre sur la maison de Margaret.

— Est-ce qu'elle sait qu'il ne faut pas qu'elle se vende rapidement ?

— Mais oui, elle était chez toi quand on en a bavardé lundi matin pendant que tu te préparais ! En plus, c'était très clair qu'Anne et Jean-Philippe rêvaient de l'acheter. Jane aurait au moins pu les avertir.

— Et elle n'a pas réagi quand vous avez dit ça ? Je ne pense pas qu'on l'avait déjà mentionné, puisqu'on ne voulait pas trop l'impliquer dans l'enquête.

— On avait dû s'échapper avant, sinon elle aurait bien dit quelque chose ce matin-là.

— On ne la connaît pas tant que ça, peut-être qu'elle a l'esprit compétitif ?

— Mouais… c'est douteux.

L'arrivée de nos assiettes nous coupe la parole. De toute façon, la conversation se serait immanquablement dirigée vers l'enquête.

— Dieu que c'est gras ! J'ai l'impression que je vais avoir besoin d'une douche pour enlever l'huile qui me sort par les pores de la peau. Cependant, la panure est croustillante à souhait, et les Newfies ont du génie d'avoir pensé à utiliser du *gravy* avec leur poisson frit.

— Ça vient d'où, ton idée de toujours compenser les critiques par un commentaire positif ?

— Ah ça ! Je me suis juste rendu compte à un certain moment que j'avais la désapprobation facile. Les événements deviennent souvent plus drôles et anecdotiques quand on met l'accent sur le négatif, ça nous donne un petit angle sarcastique qui fait bien rire les autres, et ça augmente le capital de sympathie ; mais arrive un temps où les épisodes poches prennent toute la place, comme si c'était tout ce qu'on pouvait retenir de notre journée. On aime mieux parler de l'imbécile qui a essayé de nous dépasser dans une file que de l'homme qui nous a aidé à porter nos paquets, ou raconter qu'une amie a été égoïste une fois sans mentionner toutes les fois où elle a été là pour nous.

— C'est noble.

— C'est nécessaire. Sinon, j'ai l'impression que je sombrerais dans un océan de négativisme, et je n'ai pas envie de passer ma vie comme ça.

— Il me plaît, moi, ton côté sarcastique !

— Il ne disparaîtra jamais complètement, les gens trop positifs me tapent aussi sur les nerfs, c'est juste une question d'équilibre.

Même si elle participe activement à la conversation, Emma me semble préoccupée. Je le lui dis, elle nie. Je lui demande si tout va bien, elle affirme que oui. J'insiste, elle m'envoie promener. La routine, quoi.

EMMA

Effectivement

Mon petit sac de pharmacie à la main, je me rends à ma chambre.

Mon pipi est positif.

Je ne sais pas quoi faire avec cette information-là. Chose certaine, je dois la garder pour moi.

1. Hors de question que je l'annonce à Charles au téléphone. Premièrement, ce ne serait pas tellement délicat. Deuxièmement, j'ai besoin de voir sa réaction.

2. Hors de question aussi de l'annoncer à qui que ce soit d'autre, y compris Jean-Simon, avant d'avoir parlé à Charles.

Comment je me sens ? Inquiète. Comblée. Étonnée. Indécise. Soulagée. Abasourdie. Résolue. Terrifiée. Heureuse.

JEAN-SIMON

Quelle Venn !

Je ne vivrais plus sans mon ordinateur. Néanmoins, se servir d'un papier et d'un bon vieux crayon a quelque chose de vraiment… rassurant ? Recentrant ? C'est un peu comme si l'utilisation de la technologie demandait encore à mon cerveau un tout petit peu plus d'effort que la manipulation d'un stylo. Et en ce moment, j'ai besoin que tous mes neurones disponibles travaillent ensemble.

Depuis le début de cette enquête, j'ajoute régulièrement un outil ou un autre pour m'aider à y voir clair : arbre généalogique, liste de faits, liste de questions, calendrier des événements. Aujourd'hui, ça ne suffit plus. Il me faut concilier tout ça dans un unique document, sinon je vais continuer de m'éparpiller. Des détails pourraient se perdre en chemin, et c'est justement là ma crainte : que tout ça repose sur un détail en apparence insignifiant.

C'est une bonne chose qu'Emma ne soit pas encore venue me retrouver. À cette étape du processus, je préfère travailler seul. Je lui demanderai évidemment son avis une fois tout ça mis sur papier, mais pour l'instant, une tête vaut mieux que deux.

Il existe un certain nombre d'éléments centraux à l'histoire : Margaret, sa maison, et William sont ceux qui sautent aux yeux. Ma grande question est la suivante : un autre élément central nous aurait-il échappé ?

J'ai toujours aimé les diagrammes de Venn. J'ai appris à m'en servir à l'école comme tout le monde, et je ne peux pas dire que je me souviens précisément de tout ce que les professeurs m'ont enseigné. J'ai néanmoins retenu le principal : on place des éléments dans des cercles qui forment des intersections, et les éléments qui se retrouvent au milieu sont communs à tous les ensembles, donc centraux.

Pas certain que ma méthode soit sans failles, mais je me lance quand même. Un cercle avec les principaux individus impliqués dans l'histoire, un autre avec les événements marquants, et un cercle avec les individus qui n'ont qu'un rôle secondaire.

Mouais.

Nouvel essai, nouvelle répartition des données. Tous les individus impliqués dans l'histoire, les événements marquants, et les événements secondaires.

Pas mal.

Emma entre dans ma chambre.

— Jane ne répond toujours pas, je lui ai laissé un message. Et envoyé un nouveau texto. Je lui donne trente minutes, et je commence à sérieusement m'inquiéter.

Voyant que je l'ignore, elle se penche au-dessus de mon épaule pour regarder le diagramme.

— Il te manque quelqu'un, mon chou. Tu l'avais dans ta première version, mais après tu l'as oublié.

— Qui ça ? Il me semble que…

Et soudain, tout devient d'une limpidité ridicule. Tout s'explique. MERDE. Comment avons-nous pu passer à côté de ça ? ?

EMMA

Les femmes et les enfants d'abord

Jean-Simon est dans un état de grognonitude avancé. Il n'a pas réussi à rejoindre le sergent Bouffard, l'avion a rencontré de la turbulence comme j'en ai rarement vu, et surtout, il se sent stupide de n'avoir pas résolu l'intrigue avant hier soir. J'ai bien tenté de le rassurer, mais à voir l'expression de son visage, j'ai jugé préférable de me taire.

Le Schtroumpf Grognon me dépose chez moi et demande :

— Tu viens rencontrer Bouffard avec moi ?

— Impossible pour l'instant, j'ai quelque chose d'important à faire.

— Plus important que l'enquête ? Plus important que l'arrestation de notre coupable ?

— Désolée, mon chou, je t'expliquerai plus tard. J'y vais, j'ai demandé à Charles de m'attendre chez moi.

Je fixe Jean-Simon dans les yeux, essayant de lui transmettre l'information en silence pour qu'il comprenne que je ne le laisse pas vraiment tomber, qu'il se passe quelque chose de crucial dans ma vie. Euh… non. Il me pousse pratiquement hors de sa voiture.

Charles m'attend avec un verre de vin (que je refuse) et un festin de sushis (que je dois aussi refuser). Je ne connais pas grand-chose sur la grossesse, néanmoins, je sais que l'alcool et le poisson cru ne sont pas recommandés.

— Voyons, chérie, pas de vin, pas de sushis, un peu plus et je croirais que tu es…

Puis il remarque mon visage.

Silence.

— Charles, dis quelque chose.

— Ma première réaction est de sauter de joie, mais j'essaie de lire dans tes pensées, et je n'y arrive pas. Tu as l'air aussi heureuse que terrifiée.

— Ça ressemble à ça, oui.

— Alors je saute de joie ou je ne saute pas?

— Tu me prends dans tes bras, tu affirmes que tout va bien aller, et après tu sautes autant que tu veux.

JEAN-SIMON

Wooooh

Toujours pas de retour d'appel du sergent. Pas de nouvelles de Jane non plus. Et Emma qui se désintéresse complètement de l'enquête. De quoi alimenter mon humeur exécrable. Suis-je le seul qui s'inquiète pour cette famille sur qui le malheur s'acharne ? Suis-je le seul qui veut empêcher un nouveau meurtre ? Le seul qui se préoccupe d'autre chose que de son nombril ?

Wooooh. C'est moi qui dis ça ?

Ça mérite un moment de réflexion.

Mais avant tout, j'ai quelques recherches à faire. Et peut-être aussi une petite filature.

EMMA

MERCREDI 15 MAI

Là où Jane tombe des nues

Enfin, texto de Jane.

Jane : Tu me cherches ?

Moi : Pas juste un peu ! T'es où ?! On peut se parler ?

Jane : Bien sûr, je t'appelle.

Je réponds à la première sonnerie.

— T'aurais pu au moins me faire savoir que tout allait bien ! Tu habites chez nous parce que t'as peur, et là tu disparais sans laisser de trace, avec tout ce qui se passe dans ta famille, qu'est-ce que j'étais censée penser ?!

Mauvaise approche, elle me raccroche la ligne au nez. D'accord, j'ai parlé un peu fort, mais j'angoissais, bon.

Inspiration, expiration. Je prends une minute pour me calmer, puis je rappelle.

— Jane, je suis désolée de m'être emportée, j'étais vraiment inquiète à ton sujet.

— Je n'aurais pas dû raccrocher, c'était un réflexe de défense. Depuis que je suis en *burnout*, je n'ai plus aucune tolérance à la colère.

— Alors, qu'est-ce qui se passe ?

— Oh, plein de choses ! Quand vous êtes partis pour St. John's, ma tante Catherine m'a téléphoné. Je lui ai expliqué que j'habitais chez une amie et que tu étais en voyage, alors elle m'a proposé d'aller passer un peu de temps avec elle et oncle Bill.

Le premier soir, on soupait toutes les deux, et on parlait de la maison de Grand-Maman et de tout ce qui est arrivé dernièrement. Et là, Catherine a eu une super bonne idée : pour que tout ce mystère et ces meurtres arrêtent, il faudrait que quelqu'un achète la propriété !

— C'est pour ça que t'as fait une offre ?

— Hein ? Comment t'as su ?

— L'agent d'immeuble l'a dit à Anne et Jean-Philippe.

— Pourquoi il aurait fait ça ?

— Mais parce qu'ils étaient intéressés par la maison, voyons !

— Depuis quand ? !

Ma foi, elle a vraiment l'air de tomber des nues. Alors je lui explique.

— Pourquoi vous ne me l'avez pas dit ?

— Tu n'as pas entendu la conversation le matin de notre départ pour St. John's ?

— Quelle conversation ? Mon Dieu, Emma, est-ce que je suis en train de devenir folle ?

— Mais non, tu devais juste être dans ta bulle.

Bon, au moins, on sait que Jane n'avait pas de mauvaises intentions. Jean-Simon va pouvoir la remettre tranquillement sur son piédestal.

Je dis à Jane qu'elle devrait revenir chez moi, elle accepte avec plaisir. Nous convenons de poursuivre la conversation à ce moment, et je me dépêche d'appeler Jean-Simon.

— J'ai trouvé Jane.

— Elle était où ?

— Dans la gueule du loup.

JEAN-SIMON

Hypothèses

Avant d'aller au lit, hier soir, j'ai convoqué une réunion au sommet. J'ai laissé le même message à Emma et au sergent : il est temps de boucler tout ça, rendez-vous chez moi, midi. Ils sont là, tous les deux. Je savoure quelques instants la satisfaction de les forcer à patienter.

— Bon, embraye, le détective, je n'ai pas juste ça à faire, grogne Bouffard.

— Nous avons notre coupable.

— Qui ?

— Quelqu'un tire les ficelles depuis le début, et ce n'est pas William. Cette personne avait un accès facile à la famille, connaissait tous ses secrets, et a su manipuler tout le monde, y compris nous, comme des pantins. Tout ce qui nous manque, c'est le mobile. J'ai ma petite idée là-dessus.

— Qui ?

— Catherine.

Autre moment de plaisir à déguster : voir l'expression hébétée du sergent Bouffard. Pour un policier qui en a vu d'autres, il ne cache pas très bien sa surprise.

Alors j'explique.

C'est Catherine qui a insisté pour que la maison de Margaret soit vendue promptement afin que son mari touche sa part de la succession. Quand certains membres de la famille ont commencé à poser trop de questions, Cassandra, Marie, Jane, elle a voulu les éliminer.

— Risquer la prison seulement pour avoir plus rapidement l'argent d'un héritage qui devait arriver de toute façon ?

— C'est plus que ça, elle a d'abord tué Margaret !

— On n'a aucune preuve de ça, mon garçon.

— Pas pour l'instant, mais tout se tient, vous allez voir.

D'accord, une bonne partie de mon explication repose sur des hypothèses. Je mettrais quand même ma main au feu que je ne suis pas loin de la vérité.

Mes recherches m'ont permis de découvrir que Catherine est agente d'immeuble. Son territoire est reconnu pour abriter un certain nombre de mafiosos. Ce qui, bien qu'intéressant, ne prouve rien. Là où ça se corse, c'est que Catherine a un problème de jeu.

— Et tu la prends où, cette information ?

— Je l'ai suivie. D'abord hier soir, où elle s'est rendue au casino. Puis encore ce matin, encore casino. Je connais beaucoup de gens qui vont dans des établissements de jeu, mais aucun d'entre eux ne s'y rend deux fois en vingt-quatre heures.

— Je te garantis qu'elle aura une explication pour ça.

— C'est pourquoi j'ai appelé Jane ce matin. Elle m'a révélé, après beaucoup d'insistance de ma part, que sa tante était autrefois une joueuse compulsive, et qu'elle s'était calmée il y a de nombreuses années à la suite d'une thérapie de groupe. C'est d'ailleurs à cet endroit qu'elle avait rencontré William.

— Ah, *gambler* lui aussi !

— Exactement.

De là, les suppositions vont de soi : Catherine serait retombée dans le jeu, pourrait avoir emprunté un montant substantiel à l'un de ses clients, et est aujourd'hui prise à la gorge.

— Il y a beaucoup de trous dans ton histoire, Pellerin. Jusqu'à maintenant, ça pourrait être autant Bill que Catherine. Continue.

Paniquée, Catherine élabore son plan pour accélérer une entrée d'argent qui lui sauvera la peau. Maligne, elle prend même le temps d'assurer ses arrières en faisant appel à un détective (moi) à qui elle raconte que son mari a l'air agité, qu'il lui cache quelque chose.

— Comme ça, si on découvre que Bill a autrefois eu des problèmes de jeu, les déductions sont faciles à faire, ajoute Emma.

— Et son fils, dans tout ça? demande le sergent.

— Emma et moi pensons que Catherine voulait simplement l'éloigner du brouhaha. S'il est relativement aisé de dissimuler la vérité aux autres membres de la famille, un fils qui pose déjà des questions sur notre état d'esprit pourrait naturellement avoir des soupçons.

— Et que dire d'un mari, alors?

— Ça, c'est la partie la plus délicate de mon raisonnement. J'ai du mal à déterminer si William était au courant ou non des agissements de sa femme.

— En tout cas, pour le fils, on va en avoir le cœur net. Je demande aux forces constabulaires de Terre-Neuve de nous le renvoyer par le premier avion, on pourrait avoir besoin de lui.

Le sergent réfléchit quelques instants, survole les notes de son calepin, puis affirme:

— Si Bill n'était pas au courant, il avait de sérieux doutes. C'est probablement pour ça qu'il était si nerveux quand je l'ai rencontré, pour ça qu'il lançait des regards inquiets à sa femme. Ce n'était pas parce qu'il se sentait pris au piège, c'est parce qu'il avait peur qu'elle le soit.

— Alors, ça se tient, vous croyez? demande Emma.

— Pour l'instant, ça se tient, malgré les failles. Il reste à voir si un interrogatoire en règle de notre couple vedette nous permettra de combler les trous, ou si au contraire il fera s'écrouler vos belles théories.

EMMA

Tout est dans le timing

Je devrais être plus fébrile que ça, non ? Pourtant, depuis que j'ai annoncé la nouvelle à Charles, je me sens pleine de sérénité. Et de vomi. Mais ça, il paraît que ça passe après le premier trimestre. Du moins c'est ce que disent les cinq bouquins pour femmes enceintes que Charles s'est empressé d'aller acheter hier soir.

Futur papa hystérique est également revenu avec un toutou, malgré mon interdiction de rapporter quoi que ce soit pour le bébé tant que les trois premiers mois ne se seront pas écoulés sans problèmes. Je l'ai réprimandé gentiment, c'est difficile de lui en vouloir.

L'attente de trois mois s'applique aussi à l'annonce aux proches, mis à part quelques exceptions : nos familles (y compris Marielle Denoncourt, encore plus hystérique que son fils), et ceux que nous côtoyons quotidiennement ou presque. D'ailleurs, c'est au tour de Jean-Simon d'apprendre la nouvelle. J'ai beau le connaître, je n'ai aucune idée de la réaction à laquelle je dois m'attendre.

Je veux profiter de ma présence chez lui pour lui annoncer ma grossesse, mais j'aurais dû choisir le moment un peu mieux ; il attend avec nervosité l'appel du sergent Bouffard, et ne m'accorde qu'une oreille distraite.

— … alors j'ai enfin compris pourquoi j'ai perdu mon don.
— (…)
— Tu m'écoutes ?
— (…)
— JEAN-SIMON ! !

— Quoi ? Oui oui, je t'écoute.

— Je suis enceinte.

— (…)

— Allô ?

— Je t'ai entendue, cette fois. Je ne sais juste pas comment réagir pour l'instant. C'était prévu ?

— Pas du tout.

— Es-tu en panique ?

— En ce moment, non.

— Charles est content ?

— Oui.

— Ben félicitations, alors !

Il me serre dans ses bras pendant de longues minutes, puis je l'entends renifler. Je m'éloigne un peu de son étreinte, assez rapidement pour attraper une légère expression de tristesse. La seconde d'après, il sourit à nouveau.

— T'es ému, mon chou ?

— Oui, c'est ça. Je suis heureux pour vous.

— Tu ne m'as pas vraiment demandé comment je me sentais par rapport à tout ça.

— Pas besoin, c'est écrit sur ton visage.

— Et tu y lis quoi, au juste ?

— Un petit peu d'inquiétude, beaucoup de joie.

C'est un bon résumé, qui ne me satisfait pas tout à fait, cependant. Il y a quelque chose qu'il ne me dit pas, mais mon instinct me souffle de ne pas insister. De toute façon, le cellulaire de Jean-Simon se met à sonner, le moment est passé. Il s'entretient à peine quelques secondes avec son interlocuteur, puis se tourne vers moi avec un immense sourire :

— Catherine et Bill sont en route vers le poste de police. Le sergent va les laisser moisir dans leur cellule un bon bout de temps, question de les stresser encore plus. Il veut que j'assiste à l'interrogatoire demain en fin de journée.

JEAN-SIMON

SAMEDI 18 MAI
Paperasse

Pressé, nerveux, je ne remarque pas que mon pied a appuyé un peu trop fort sur l'accélérateur. Le policier qui m'intercepte n'apprécie pas mon impatience, et prend tout son temps pour revenir me présenter le constat d'infraction. Ou plutôt les deux constats d'infraction.

Quatre-cent-cinquante-et-un dollars pour un certificat d'enregistrement expiré depuis trois semaines ? Vraiment ? Vitesse, je comprends, ça peut mettre des gens en danger. Mais le fait que mon papier ne soit plus bon depuis vingt-et-un jours, c'est si terrible que ça ? Réponse du policier : « J'aurais aussi pu saisir votre véhicule ». Tu pourrais aussi aller te faire voir, Monsieur.

Je devrais être encore plus furieux que ça. Sauf que je suis tellement emballé à l'idée d'assister à un véritable interrogatoire de police que ça équilibre mon humeur.

Bouffard m'attend à l'entrée. On me fait signer un formulaire, j'accroche un badge de visiteur à mon veston, et je suis docilement le sergent dans les couloirs du poste éclairés au néon. Je me sens comme un jeune garçon qui accompagne son père au travail, sans doute parce que ça m'est déjà arrivé, il y a de cela une éternité. Je n'ai peut-être plus aujourd'hui la même innocence, reste que je suis encore vaguement impressionné.

Nous faisons un détour par le bureau de Bouffard, où il ramasse un mince dossier. Remarquant mon regard, il lance :

175

— Y a pas grand-chose dedans, souhaitons seulement que ce soit suffisant.

— Avez-vous un angle d'attaque?

— Toujours le même, je joue cartes sur table.

— Et ça fonctionne?

— Neuf fois sur dix. Pas une mauvaise moyenne au bâton.

— Vous allez les interroger séparément, en espérant les prendre en pleine contradiction?

— Non, ensemble. T'inquiètes, mon garçon, je sais ce que je fais.

— Ils ont fait venir un avocat?

— Non. William a bien essayé d'impliquer les fils de Marie, mais ils ont tous les deux refusé de l'aider. Dans les circonstances, ça m'étonne même qu'il ait eu le culot de les appeler.

— Ils auraient pu trouver un autre avocat!

— Absolument. Mais ils doivent penser qu'ils peuvent se défendre eux-mêmes, beaucoup de prévenus sont comme ça. Et ce n'est pas moi qui vais insister, je préfère ne pas avoir un champion de la loi dans les pattes.

Je n'en doute pas. En plus, sans la présence d'une tierce partie, l'interaction entre Bill et Catherine dans un contexte aussi stressant devrait être captivante. Bouffard poursuit :

— Alors, le détective, as-tu un conseil à me donner?

— (…)

— T'as perdu ta langue? Qu'est-ce qui te surprend tant que ça? C'est peut-être moi qui a le plus d'expérience, mais je t'ai vu aller, Pellerin, et j'ai confiance en ton jugement d'enquêteur. Tu connais le dossier à fond, plus que moi, en fait, et je suis pas mal certain que tu t'es déjà joué la scène dans ta tête. Je me trompe?

Je ris, il a raison.

— Elle va essayer de lui faire porter le chapeau.

— Et tu penses qu'il acceptera de prendre le blâme?

— Je crois qu'il sera tenté de le faire. Mais Catherine a un point faible.

— Lequel?

— Son fils, Daniel. Elle a peur de son jugement, c'est pour ça qu'elle l'a envoyé se cacher.

— OK, le grand, je garde ça en tête.

La salle d'interrogatoire ne m'apporte aucune surprise : éclairage au néon, une table au centre, quatre chaises droites. En contraste, la salle d'observation où je me trouve, bien à l'abri derrière la vitre sans tain, est plutôt confortable. Je me sers un café dans un verre de styromousse pendant que Bouffard va chercher les deux prévenus.

EMMA

Lâcher prise (un thème récurrent)

Prochaine sur la liste : Anne.

La journée est particulièrement douce pour un début de mai. Nous nous assoyons sur notre terrasse commune et entreprenons de résumer à tour de rôle les événements des derniers jours. Comme à notre habitude, nous tirons à pile ou face. C'est Anne qui a la parole.

— Jane a retiré son offre d'achat, merci de lui avoir parlé ! Je l'aime bien, je n'aurais pas voulu entrer en compétition avec elle !

— Allez-vous déposer une offre bientôt ?

— Il faut juste que Jean-Simon nous donne le *go*. Est-ce qu'il y a du nouveau ?

— Bill et Catherine sont au poste de police en ce moment même. Le détecteux assiste à l'interrogatoire, il doit m'appeler dès que c'est fini.

— J'ai hâte que ça débloque, j'ai l'impression d'avoir été mise en attente sur une ligne téléphonique et d'être obligée d'écouter de la musique poche sur une station de radio pleine de statique !

Nous rions de la comparaison, puis Anne me raconte quelques discussions houleuses que Phil et elle ont eues au sujet de la maison. J'adore le sens du drame de ma voisine, elle est terriblement divertissante quand elle s'emporte pour des niaiseries.

— Bon, Emma, ton tour !

— Je suis enceinte.

Silence. J'attends patiemment que l'information fasse son chemin dans son cerveau. Puis Anne explose.

— Aaaaah c'est donc ben cool! Ben, est-ce que c'est cool? Es-tu contente? La dernière fois qu'on en a parlé, t'étais loin d'être convaincue de vouloir des enfants, as-tu changé d'idée? Comment Charles a réagi? Est-ce que ça va? As-tu peur?

— Oui c'est cool, oui je suis contente, oui j'ai changé d'idée, oui ça va, non je n'ai pas peur, je suis terrorisée, et Charles est aux anges.

— T'es donc ben nounoune de ne pas avoir insisté pour commencer! Je me sens ridicule d'avoir perdu du temps avec mes petites histoires insignifiantes alors qu'on aurait pu être en train de parler de ton bébé!

Elle se lève et me serre dans ses bras.

— Tu vas être une mère exceptionnelle, mon amie.

Je fonds en larmes. Elle est la première à me dire quelque chose du genre. Oh Charles a bien laissé entendre pour m'encourager que je serais formidable, mais c'est quand même la première fois que quelqu'un l'affirme avec autant de conviction, et j'en suis toute retournée.

Parce que bien entendu, je suis rongée par le doute. Je ne mens pas lorsque je dis que je vais bien, cependant il y a parfois de sombres pensées qui s'insinuent dans ma bulle rose. Je confie mes inquiétudes à Anne.

— Évidemment que tu as des doutes! Je ne veux pas te faire de peine en t'enlevant ton illusion d'originalité, mais toutes les femmes en ont, surtout au premier. Le pire, c'est que les craintes ne s'arrêtent pas quand t'accouches, t'en as pour le restant de tes jours à t'inquiéter, en tout cas si je me fie aux mères de mon entourage. Est-ce que mon bébé dort assez, est-ce que je devrais ou non lui donner une suce, est-ce qu'il connaît assez de mots de vocabulaire pour son âge, il est pas un peu vieux pour porter une couche, est-ce que je joue assez avec lui, est-ce que je devrais insister encore plus pour qu'il mange ses légumes…

Et là, sans avertissement, j'éclate de rire.

— Euh… j'ai dit quelque chose de drôle?

— Non, pas du tout. En énumérant toutes les fois où je vais sans doute paniquer, tu as réussi à me rassurer.

— Hein?

— On appelle ça lâcher-prise. Et ça fait un bien fou.

JEAN-SIMON

SAMEDI 18 MAI
Ensemble, mais pas tout à fait

William et Catherine font leur entrée. Il est visiblement nerveux et fatigué, elle semble d'un calme souverain et fraîche comme une rose, malgré la nuit passée en cellule. Ils prennent place à la table, assis côte à côte, gardant toutefois une certaine distance entre eux et n'échangeant aucun regard. Leur langage corporel en dit long, il y a dissension dans les rangs.

Le sergent Bouffard leur répète leurs droits, demande s'ils sont prêts, et commence l'interrogatoire.

EMMA

Triomphe(s) silencieux

— Catherine a craqué!!

À moitié endormie à 19 h à peine, je reluquais déjà mon ami pyjama et mon lit. L'appel de Jean-Simon me sort immédiatement de ma torpeur. Il promet d'être chez moi d'ici quinze minutes.

Dès son arrivée, nous faisons honneur au mousseux non alcoolisé que je gardais au frais justement pour cette occasion. Nos immenses sourires se figent un instant plus tard: Jane est à l'entrée de la cuisine, le regard interrogateur.

— On fête quoi?

Le niveau de bonheur de la pièce baisse drastiquement lorsque Jean-Simon lui apprend doucement que sa tante Catherine a été arrêtée. Désemparée, Jane se réfugie dans les bras du détective, qui n'en demandait pas tant et doit lutter pour ne pas sourire à pleine bouche. Entendons-nous: sa petite joie intérieure n'a plus rien à voir avec l'arrestation de Catherine.

Jane insiste pour tout savoir, et Jean-Simon lui promet de ne rien lui cacher. Néanmoins, par respect pour elle, la conversation prendra certainement un ton moins triomphant. ·

JEAN-SIMON

Confession

Priorité, m'assurer que Jane va bien.

— Emma m'a dit que tu avais passé du temps avec ta tante Catherine pendant notre absence. As-tu suivi mes conseils?

— Lesquels?

— De ne manger ou boire que ce que tu avais préparé toi-même?

— Ne t'inquiète pas, j'ai été prudente.

En voyant Emma tambouriner sur la table, j'ai une petite envie de la faire patienter un peu plus longtemps. Sauf que j'ai aussi hâte de raconter les événements qu'elle de les entendre. Alors je me lance.

— Honnêtement, à voir l'expression froide et déterminée de Catherine, je m'attendais à plusieurs heures d'interrogatoire. Ça n'aura pourtant pris qu'un peu plus de soixante minutes.

Après avoir résumé les faits, le policier avait entrepris de questionner les deux prévenus à tour de rôle.

— Les deux ensemble? Pas séparément? s'étonne Emma.

— J'ai eu la même interrogation. Mais tu verras qu'il avait raison.

Le sergent ne mentait pas lorsqu'il m'avait dit qu'il préférait jouer cartes sur table. Ses questions étaient précises et directes et portaient tant sur les meurtres eux-mêmes que sur les motifs présumés des deux suspects.

William répondait doucement, le visage empreint de chagrin. Catherine de son côté se contentait de monosyllabes, puis partait dans des envolées dramatiques sur son amour pour les victimes.

Après cinquante-huit minutes d'interrogatoire soutenu, dans un dernier élan de combativité, elle avait affirmé : c'est Bill qui les a tuées.

Le sergent Bouffard était resté silencieux un instant, laissant flotter l'accusation entre eux. Puis, il avait dit : « Daniel, votre fils, connaît la vérité. Il est dans la pièce à côté, voulez-vous le voir ? »

Catherine avait tourné la tête de tous les côtés, comme si elle croyait pouvoir apercevoir son fils à travers les murs de béton et la vitre sans tain. Après un moment de silence immobile, son visage s'était chiffonné comme une feuille de papier et elle avait éclaté en sanglots.

À cet instant précis, c'était comme si toute sa détermination avait explosé en mille morceaux. Elle s'était affaissée sur sa chaise, comme écrasée sous le poids de sa culpabilité.

William, la tête toujours rentrée dans les épaules, avait mis plusieurs minutes à réagir. Quand il avait enfin relevé la tête, son expression en disait long : je ne coulerai pas avec toi. Puis, à la surprise de tous, il avait tendu la main vers Catherine, lui avait affectueusement caressé le visage, et avait chuchoté « Je t'aime, ma Cathy », les yeux baignés de larmes.

Attendrie, elle avait elle aussi touché la joue de son époux. Puis, dans un murmure, les yeux toujours rivés sur ceux de William, elle avait fait l'aveu tant attendu : « Sergent Bouffard, vous pouvez relâcher Bill, il n'a rien à voir avec les meurtres. Je suis la seule coupable ».

Bill s'était levé, un petit sourire aux lèvres. « Sergent, avez-vous encore besoin de moi ? Cette femme a tué des membres de ma famille, elle vient de l'avouer. Je préférerais quitter la pièce avant de lui faire du mal ».

— Woh ! William s'est développé une colonne vertébrale, on dirait ! s'exclame Emma.

— Il l'a bien eue, en tout cas. Sans le petit élan de tendresse de Bill, je ne sais pas si Catherine aurait craqué aussi vite.

— Bouffard l'a laissé sortir ?

— Non.

À l'instant où elle avait compris qu'elle avait été dupée, le masque de froideur de Catherine était revenu. Le regard dans le vide, elle avait lentement articulé : « Je suis contente que tu aies retrouvé tes couilles, Bill. » Et avec un sourire sinistre, elle avait tiré de sa poche une lettre de confession.

— OK, c'est moi, ou il y a quelque chose qui ne tourne pas rond dans sa tête ? s'exclame Emma. Une minute elle est froide et calculatrice, la minute suivante elle est en larmes, et tout de suite après elle retrouve tout son aplomb ?

— Je ne suis pas aussi surprise que toi, intervient Jane. Pas que ses sautes d'humeur aient été aussi évidentes dans le passé, néanmoins je l'ai déjà vue avoir des comportements bizarres semblables à ça. Mais c'était il y a plusieurs années. On aurait dit qu'elle avait appris à mieux se contrôler.

En parlant de contrôle, Jane mettait le doigt sur le cœur du problème. Du moins, c'est la conclusion à laquelle j'étais arrivé.

— Vas-y, le détecteux, qu'est-ce qui s'est passé après ?

— Catherine a tout confessé, verbalement, se référant parfois à sa lettre pour être certaine de ne rien oublier. Comme les plus grands vilains de films policiers, elle l'a fait avec verve et éloquence, sans aucune trace d'émotion. Je m'attendais presque à l'entendre dire : « Si ce n'était pas de vous, les jeunes, j'aurais réussi mon coup » comme dans les bons vieux épisodes de *Scooby Doo*.

Ma blague est accueillie par un faible sourire de Jane. Partagée entre l'incompréhension, la loyauté familiale et la rage, la pauvre ne sait plus où donner de la tête. Résolue à aller au bout de cette histoire, elle insiste :

— Jean-Simon, je dois savoir.

— Bien sûr. C'est pour ça que j'ai fait une copie de la lettre pendant que le sergent Bouffard était aux toilettes.

Emma lève les yeux au ciel, comprenant que j'ai osé faire ce geste simplement pour impressionner Jane.

— Avant de vous la laisser lire, il y a quelque chose que je dois t'annoncer, Jane. Il n'y a pas eu que deux meurtres.

Je suis Catherine Gagnon-Ladouceur, et par la présente je confesse avoir tué trois personnes : Margaret Ladouceur, Cassandra Ladouceur et Marie Ladouceur. Il y en aura peut-être d'autres, le temps nous le dira.

Margaret était atteinte d'un cancer, phase terminale. Personne n'était au courant, sauf ses deux aînés et exécuteurs testamentaires, William et Marie, et moi. Je savais que les profits de la vente de sa maison iraient aux aînés, donc à mon mari. J'avais contracté des dettes importantes auprès de gens qui n'ont aucun scrupule, il fallait qu'un montant d'argent substantiel soit versé dans notre compte de banque, et rapidement. Margaret s'accrochait à la vie, alors que la conclusion était déjà déterminée d'avance. Personne n'échappe à son destin. Je n'ai fait qu'accélérer l'inévitable.

Avoir un mari pharmacien qui laisse traîner des magazines et des études a du bon. Il y avait longtemps que j'avais découvert une méthode relativement sûre de tuer quelqu'un. Je gardais l'option ouverte, je commençais à en avoir assez de mon mariage. Mais je n'avais pas prévu me servir de mes connaissances sur quelqu'un d'autre que mon mari. Je n'avais pas non plus prévu que ce serait si facile. Et pas désagréable du tout. Tenir entre ses mains la vie de quelqu'un est plus satisfaisant que je ne l'aurais imaginé.

Après la mort de Margaret, j'ai fait pression auprès de mon époux pour que la maison soit vendue rapidement. Il n'a pas posé de questions. Ou plutôt il a essayé, mais devant mon silence, il n'a pas insisté. Puis certaines personnes ont émis des doutes sur ses moti-vations, Cassandra surtout. Je ne l'avais jamais vraiment aimée de toute façon. La décision d'éliminer Marie et Jane a été plus difficile ; elles avaient été témoins de la discussion houleuse avec Cassandra, je ne pouvais pas courir de risque. J'ai invité Marie à souper à la maison, et glisser le poison dans sa lasagne a été un jeu d'enfant.

Oh elle a bien fait une petite grimace à la première bouchée, toutefois, elle était trop bien élevée pour dire quoi que ce soit. Marie la douce, Marie la généreuse, Marie la mère-substitut de tout le monde a fait comme toujours : elle a fermé sa grande gueule, de peur de me faire de la peine.

J'ai voulu procéder autrement pour Jane, mais je n'ai pas réussi à m'introduire dans la maison de ses parents. J'ai donc dû patienter un peu.

Daniel a senti que quelque chose n'allait pas. Peut-être parce qu'il me voyait moins souvent. Peut-être parce qu'il m'a surprise en train de saccager le salon, et qu'il a dû m'aider à tout remettre en ordre. Comme ses questions sur mon état d'esprit se faisaient de plus en plus pressantes, je devais l'éloigner. D'autant plus que les ordures qui exigeaient que je les paye avaient menacé de s'en prendre à lui. Ils l'avaient vu sortir de chez moi, ils l'avaient filé, savaient qui il était. Je devais le protéger.

Et à travers tout ça, il y avait Bill. Je l'ai déjà aimé, surtout quand il était capable de se tenir debout au lieu de toujours marcher sur des œufs pour ne pas me contrarier. Trente ans de vie commune m'ont appris une chose : je ne tolère pas la faiblesse, et surtout, je n'ai pas en moi le sens du sacrifice. Je suis ma priorité.

Je me doutais que les soupçons finiraient par se diriger vers moi, il fallait que je les détourne. J'ai donc fait appel à un détective privé naïf à qui j'ai raconté que mon mari était soudainement devenu nerveux après la mort de sa mère, que je ne le reconnaissais plus. J'ai cru que mon initiative paraîtrait bien en cour, lorsque Bill serait accusé des meurtres.

Je pense que Bill a commencé à avoir des doutes, je ne suis pas certaine à quel moment. Son attitude envers moi a changé, il me posait beaucoup de questions sur mes agissements des dernières semaines. Il a même pris congé pour pouvoir me surveiller. Lorsque la police est venue nous interroger, j'ai vu dans son regard que Bill avait tout compris, et qu'il ne dirait rien, en bon petit mari faible et soumis.

*Voilà, vous avez tout ce qu'il faut pour m'accuser. Je n'ai pas
peur. La prison me protégera.*

Catherine Gagnon

Jane, absorbée par sa lecture, ne remarque pas que je l'observe.
Elle essaie de rester de marbre, pourtant des émotions se faufilent
furtivement sur son visage. Emma, qui finit de lire plus rapidement, ne peut s'empêcher de dire la première chose qui lui passe
par la tête :
— Confirmé : folle.
— C'est l'impression qu'elle m'a donnée lors de l'interrogatoire,
mais jamais pendant nos conversations téléphoniques.
— OK, déséquilibrée alors.
— Ce qui me rend mal à l'aise, c'est cette espèce de froide
insensibilité aux autres. Margaret, Cassandra et Marie étaient
dans son chemin, elle les a tassées. Pour Catherine, c'est comme
si ça allait de soi. Mais surtout, je pense vraiment que Jane a mis
le doigt sur la vérité en parlant de contrôle.
À partir du moment où Catherine avait commencé à réprimer
son problème de jeu, elle avait compris qu'il était impératif pour
elle de maîtriser ses envies et ses émotions, ce qu'elle avait réussi
à faire jusqu'à tout récemment. Puis, lorsqu'elle s'était laissé
emporter à nouveau par ses pulsions de *gambling*, tout s'était gra-
duellement écroulé. La perte de contrôle s'était étendue à toutes
les sphères de sa vie et s'était répercutée sur sa personnalité.
— Elle réussissait de moins en moins bien à cacher son désé-
quilibre. Avez-vous remarqué le style de la lettre ? Malgré le ton
détaché, on sent qu'il y a quelque chose qui bouillonne sous la
surface. Et quand Bouffard lui a demandé pourquoi elle avait
enlevé les photos des disparus dans la maison de Margaret, elle a
répondu, comme si c'était évident : « Parce qu'ils me jugeaient ! »

— Ben voilà. Folle. Je m'excuse, je suis habituellement plus charitable avec les gens qui ont des problèmes de santé mentale, sauf que quand ça vire au meurtre… Demain je sympathiserai avec sa souffrance, mais aujourd'hui, maintenant, je la déteste pour ce qu'elle a fait.

— Un psychiatre sera sûrement appelé à témoigner au procès, j'ai hâte de voir son diagnostic.

Jane est ailleurs. Elle fixe le vide, puis prononce très doucement, en me regardant droit dans les yeux :

— J'ai mangé de la lasagne, moi aussi.

EMMA

Perdue dans l'espace

Tout en remerciant le destin que Jane ne boive plus de vin depuis qu'elle prend des antidépresseurs, j'ai laissé Jean-Simon accompagner la presque-victime à l'hôpital. Je me suis allongée, en espérant arriver à dormir avant que les oiseaux ne se mettent à chanter.

Une heure plus tard, les yeux toujours grands ouverts, j'appelle Charles.

— Mouiallô ?

— Désolée de te réveiller. J'avais une question pour toi.

— Oui ?

— Comment ça se fait que tu n'es pas dans mon lit, en ce moment ? Et plus important encore, comment ça se fait que tu n'es pas dans mon lit tous les soirs ?

— Parce que tu voulais ton espace.

— Je veux encore mon espace, mais avec toi dedans.

— D'accord.

— Chez toi ou chez moi ?

— C'est plus grand chez toi. J'appelle un agent d'immeuble à la première heure.

— Et là maintenant, tu fais quoi ?

— Je m'habille et je viens te rejoindre dans ton lit.

— Notre lit.

JEAN-SIMON

Enfin

Jane n'a pas lâché ma main depuis que nous nous sommes assis sur les chaises inconfortables de l'urgence.

— Jean-Simon, je suis désolée. Ne me dispute pas, s'il te plaît.

— Pourquoi je te disputerais ?

— Tu m'avais bien avisée qu'il fallait que je refuse de boire ou de manger ce que je n'avais pas préparé moi-même.

— Alors, pourquoi avoir accepté la lasagne de Catherine ?

— Parce qu'elle m'a dit qu'elle avait dégelé une lasagne préparée par ma tante Marie. C'est con, ça m'a donné l'impression de lui rendre hommage, à ma façon.

— Tu ne pouvais pas savoir que Catherine utiliserait Marie pour te mentir sur la provenance du souper. Je comprends.

La tête sur mon épaule, elle s'assoupit quelques instants. Réveillée en sursaut par les cris d'un enfant, elle s'excuse, encore.

— Il n'y a pas de quoi. Les émotions fortes, ça épuise. Comment tu te sens ?

— Vidée, mais soulagée que nous puissions mettre cette histoire derrière nous.

— On va sans doute pouvoir ajouter tentative de meurtre aux différents chefs d'accusation.

— Elle va payer pour ses crimes, c'est tout ce qui compte.

— Et ton oncle William ?

— Au début, je lui en voulais de n'avoir rien dit avant. Mais en y pensant bien, c'est difficile de juger. On ne sait pas ce qui se passait dans leur intimité. Tu crois qu'on va devoir patienter encore longtemps avant de voir un médecin ?

— Hé hé. Tu vois ce que c'est, maintenant, d'être de l'autre côté, madame l'urgentologue !

— C'est ça, je paie pour toutes les heures que j'ai fait perdre à mes patients.

— Ils nous ont pris pour des moyens dérangés quand on est arrivés à l'urgence... Peut-être qu'ils attendent juste que deux places se libèrent en psychiatrie.

Jane s'esclaffe doucement, puis de plus en plus fort. Je ne l'avais jamais vue en crise de fou rire, ça lui va bien.

— Ouf, je ne me souviens pas de la dernière fois que j'ai ri comme ça. Je revois l'expression de l'infirmière quand je lui ai dit que j'avais sans doute été empoisonnée. Ça valait de l'or !

Une chance que j'ai apporté la lettre de Catherine, et que le sergent Bouffard a confirmé à l'infirmière, au téléphone, que nous n'étions pas des cinglés en pleine crise de persécution paranoïaque. On appelle Jane à l'interphone. Je me lève en même temps qu'elle, et lui dis : « À plus tard ». Elle revient sur ses pas, s'approche de moi en silence.

Je ne sais pas combien de temps nous sommes restés là à nous embrasser, mais une voix impatiente nous a rappelés à l'ordre. Jane est disparue derrière une porte, je me suis rassis, puis j'ai dormi.

EMMA

Plus formidables que jamais

— Qu'est-ce que les médecins lui ont fait?

— Qu'est-ce qu'ils ne lui ont PAS fait, tu veux dire? Lavement d'estomac, transfusion, tests sanguins à n'en plus finir, la pauvre est rendue avec des bras de toxicomane.

— Tu es resté avec elle?

— Oui, elle m'a envoyé chercher quand on l'a amenée à sa chambre.

— Tu vois bien qu'elle sait que tu existes!

— Je pense qu'on a dépassé ce stade-là quand elle m'a *frenché*.

Ah-ah! Je me doutais bien que ça arriverait! Jean-Simon ne le réalisait peut-être pas, mais l'attitude de Jane à son égard s'était considérablement modifiée ces derniers jours.

Le détecteux aussi a changé, récemment. Je le trouve plus… humain? Je ne l'avais jamais vu s'investir autant dans une enquête, et je ne crois pas que ce soit uniquement à cause de Jane. Et puis même si ça l'était, ce serait une première également: se laisser influencer par les beaux yeux d'une fille qui lui plaît? Et admettre que la fille lui plaît? Wow. Je suis fière de lui, et je le lui dis.

— Fière de moi pourquoi, au juste?

— Parce que tu deviens plus mature, parce que tu permets à certaines émotions d'influencer ton travail, parce que tu acceptes de mettre de côté quelques systèmes de défense.

— Toi-même.

— Quoi?

— Tu dis que je laisse tomber des systèmes de défense, et je dis que toi aussi tu l'as fait dernièrement.

— C'est vrai. Alors on est tous les deux plus formidables que jamais.

— Plutôt oui.

— Jane sort quand, de l'hôpital ?

— Je m'en vais la chercher dans quelques minutes.

— Si vite ?

— Si t'es pas en train de mourir, ils te foutent à la porte pour libérer ton lit. De toute façon, à part être fatiguée par une nuit à l'hôpital, ce n'est pas non plus comme si elle était souffrante.

— Penses-tu qu'elle sera assez en forme pour qu'on organise un petit souper de groupe à la maison ce soir ?

— J'imagine que oui. Au pire, elle ira se coucher. Autant profiter du fait qu'elle habite encore chez toi pour l'instant.

JEAN-SIMON

Confiance vs doutes

J'arrive à l'hôpital quelques minutes avant l'heure convenue, me dirigeant vers la chambre de Jane avec la démarche déterminée et joyeuse du gars qui sait qu'il y a un *french* qui l'attend.

Et si Jane avait changé d'avis pendant la nuit ? Si ce qui s'est passé hier devait être mis sur le compte de sa peur et de son insécurité ? J'imagine déjà la scène : moi, le con, qui s'avance pour l'embrasser et elle, mal à l'aise, qui s'esquive et me regarde avec pitié.

Non, non et non. C'est quoi, ces histoires de doute ? Depuis quand je me préoccupe de ça ?

Une petite voix dans mon cerveau ricane : « Depuis que t'es amoureux, idiot ».

L'information m'arrête net. Je reste là, planté au milieu du couloir. Une infirmière m'apostrophe :

— Cherchez-vous quelqu'un, monsieur ?

— Oui, moi.

Je ne peux pas dire que je connais vraiment Jane. Il est facile de voir qu'elle est intelligente, sensible, très attirante. Je peux affirmer que son sourire, bien que rarement aperçu en raison des circonstances, est lumineux. Mais ma plus grande certitude, c'est la manière dont je me sens lorsque je suis avec elle. Sa présence à mes côtés suffit à me faire sentir... bien. Entier. J'aurai beau chercher une explication logique, appliquer mes techniques d'enquêteur pour essayer de trouver le pourquoi et le comment, je sais pertinemment que je n'y arriverai pas. Je me suis toujours insurgé contre la naïveté et le rêve irrationnel associés à l'amour. Aujourd'hui, je n'ai plus envie de me battre.

Je m'arrête devant sa chambre, prends une grande inspiration, et pousse doucement la porte. Jane est assise sur le bord du lit, prête à partir. Aucune trace de pitié dans son regard, seulement la joie de me voir, et une infinie tendresse.

EMMA

Ça, tout simplement.

Le calme avant la tempête. Nos invités n'arriveront pas avant quelques heures, Charles en profite pour suspendre quelques vêtements dans mon/notre garde-robe. Je le regarde faire, assise en tailleur sur mon/notre lit, et je sens monter une boule de bonheur.

Nous bavardons de tout et de rien. Je participe à la conversation, pendant qu'une partie de moi se place en retrait et observe la scène. Et je réalise que si on me questionnait sur ce que je considère comme romantique dans la vie, ce moment serait ma réponse. Pas une déclaration enflammée, pas de pétales de roses éparpillés sur le lit, pas un voyage fusionnel dans un endroit exotique, pas même une grandiose demande en mariage. Juste ça. Lui, moi, notre amour, et notre avenir qui se dessine doucement.

JEAN-SIMON

DIMANCHE 19 MAI
J'aime

Jane et moi avons convenu de ne pas nous rendre directement chez Emma après l'hôpital. Je me fous de ce que nous allons faire d'ici l'heure du souper, tout ce que je veux c'est passer du temps avec celle qui occupe toutes mes pensées. Alors je conduis, elle me regarde conduire, et nous entrons de plain-pied dans la phase « je veux tout connaître de toi, même les détails les plus insignifiants ». Et je ressens un plaisir énorme. Après une pause de quelques agréables instants, Jane me prend la main.

— Jean-Simon, je pense que je te plais. Je me trompe ?

— Je crois que le mot « plaire » est un peu faible dans le contexte.

— D'accord, je te plais beaucoup, alors.

— On peut s'entendre sur énormément ?

Elle sourit, je fonds. Elle retrouve son sérieux lorsqu'elle demande, avec un soupçon d'empathie dans la voix :

— Mais Emma ?

— Emma quoi ?

— Je suis en dépression, je ne suis pas aveugle, mon chéri.

Mon chéri ? Wahou ! Cependant, ce n'était probablement pas le message le plus important contenu dans sa phrase. Je fais quoi ? Je nie tout en bloc ? J'embellis la réalité ? Je réponds honnêtement ?

— Je pense savoir à quoi tu fais référence. Mes sentiments pour Emma, c'est ça ?

— Précisément.

— Je vais essayer de t'expliquer, ce n'est pas simple.

Je lui déballe tout ça, en m'attendant à ce que ça sorte dans le désordre et sans structure. Finalement, c'est plus clair que je ne le croyais. Oui, j'aime Emma. Non, je ne suis pas amoureux. C'est un attachement profond, qui aurait pu devenir plus si elle n'était pas amoureuse de Charles. J'en profite pour mentionner qu'Emma et moi avons déjà couché ensemble, une fois, au tout début de notre relation. J'aurais préféré taire cette partie de l'histoire, mais c'est probablement le genre de truc qui pourrait refaire surface à un moment encore moins opportun.

— Et si Charles n'était pas dans le portrait ?

— Je ne sais pas. Ce dont je suis convaincu, c'est que si Emma avait été disponible, considérer un possible avenir avec elle m'aurait empêché de remarquer à quel point tu es merveilleuse. Et j'aurais probablement raté toute une chance.

— Je comprends.

— Pour vrai ?

— On n'a plus vingt ans. Moi aussi je conserve sans doute des sentiments résiduels de fréquentations passées. Le plus important, c'est aujourd'hui, maintenant.

Alors, c'est à ça que ça ressemble, une relation mature ? J'aime.

EMMA

Tout se (dé)place

L'atmosphère pendant le souper reflète bien l'euphorie générale : la coupable est derrière les barreaux en attendant son procès, Jean-Simon et Jane se rapprochent l'un de l'autre, Anne et Jean-Philippe achètent la maison de leurs rêves, Charles s'en vient habiter chez moi, et nous serons bientôt parents. Bon, d'accord, il y a le léger détail de mon don évaporé et de mon avenir simili-professionnel incertain, mais sinon, tout va pour le mieux dans le meilleur des mondes.

Tous ont contribué au souper, même Jean-Simon a apporté un vrai dessert plutôt que d'arrêter au dépanneur du coin pour y prendre des Jos Louis. Maintenant que ses sentiments pour Jane sont avoués, il n'a plus besoin de camoufler les regards amoureux qu'il lui lance. Il est beau à voir, mon associé, et Jane semble s'épanouir de minute en minute.

Perdue dans mes pensées positives, j'en sors brusquement lorsque Anne me parle d'une voix insistante.

— Emma ? T'es avec nous ?

— Désolée, j'étais plongée dans la contemplation de nos deux nouveaux tourtereaux. Tu disais quoi ?

— Je te demandais ce que ça te fait d'être enceinte.

— Oh ! Euh… je ne sais pas comment le décrire. Je ressentais certains symptômes au début, comme des nausées et des crampes. Maintenant ils ont complètement disparu. Ou peut-être que je m'y suis habituée. En tout cas, en ce moment, je ne me sens pas différente d'avant ma grossesse, mis à part le fait que je pense continuellement au bébé, et que je n'ai jamais l'impression d'être seule.

— Je pose la question parce que je risque de ressentir la même chose dans très peu de temps. Nos enfants vont être amis, chère voisine !

Tous les yeux se tournent vers Anne et Phil, et le mouvement est instantané : nous nous levons d'un bloc pour trinquer.

Puis tout devient noir.

Lorsque je reprends mes esprits, je suis allongée sur mon lit, cinq visages inquiets penchés sur moi. Je veux leur dire que je vais bien, qu'il n'y a pas lieu de s'en faire. Mais je n'en ai pas le temps.

Tout doucement, l'esprit d'Alexandre, mon ex-fiancé, frappe à la porte de mon cerveau…

ANNIE L'ITALIEN

————

Pourquoi une autre aventure avec Jean-Simon et Emma? Pression sociale (ha ha ha).

Après avoir lu *Ce ne sera pas si simple,* de nombreux lecteurs m'ont dit qu'ils s'étaient attachés aux personnages et qu'ils aimeraient avoir une suite. Pour être tout à fait honnête, je savais déjà en l'écrivant que la médium et le détective avaient le potentiel de se retrouver dans un prochain roman. Par ailleurs, on m'avait déjà demandé maintes fois si j'allais écrire un troisième tome aux aventures de l'orgueilleuse de mes deux premiers romans. Ma réponse était non, mais pour dire vrai, j'avais moi aussi envie de savoir où en étaient les personnages d'Anne et de Jean-Philippe. J'avais même déjà semé quelques pistes... Dans *Toujours orgueilleuse mais (à peine) plus repentante,* Anne mentionne qu'elle laisse son chat à sa voisine, qui est médium. Et dans *Ce ne sera pas si simple,* Emma parle à Jean-Simon d'Anne et de Jean-Philippe.

J'ai toujours aimé provoquer la rencontre de copains de différentes sphères de ma vraie vie. Il semblerait que je fais maintenant la même chose avec mes personnages!

www.annielitalien.com

JACQUES LAPLANTE

Le syndrome de la page blanche, il adore ça. Pour lui, le bonheur, ça vient en paquet de 500 feuilles de papier, avec une bonne réserve de crayons HB et quelques autres outils.

Avec sa griffe vive et plein d'humour, il illustre depuis plus de vingt ans pour une panoplie de magazines, livres, et publicités aux quatre coins du continent.

ACHEVÉ D'IMPRIMER EN JUILLET 2014
SUR DU PAPIER 100 % RECYCLÉ
SUR LES PRESSES DE MARQUIS IMPRIMEUR,
QUÉBEC, CANADA.